TRIOMPHEZ
DE
VOUS-MÊME
ET DES AUTRES

Couverture
- Conception graphique:
  Katherine Sapon
- Infographie:
  Centre Créatif de Montréal

DISTRIBUTEURS EXCLUSIFS:

- Pour le Canada et les États-Unis:
  LES MESSAGERIES ADP*
  955, rue Amherst, Montréal H2L 3K4
  Tél.: (514) 523-1182
  Télécopieur: (514) 521-4434
  * Filiale de Sogides Ltée

- Pour la Belgique et le Luxembourg:
  PRESSES DE BELGIQUE
  96, rue Gray, 1040 Bruxelles
  Tél.: (32-2) 640-5881
  Télécopieur: (32-2) 647-0237
  Télex: PREBEL 23087

- Pour la Suisse:
  TRANSAT S.A.
  Route du Grand-Lancy, 2, C.P. 125, 1211 Genève 26
  Tél.: (41-22) 42-77-40
  Télécopieur: (41-22) 43-46-46

- Pour la France et les autres pays:
  INTER FORUM
  13, rue de la Glacière, 75624 Paris Cédex 13
  Tél.: (33.1) 43.37.11.80
  Télécopieur: (33.1) 43.31.88.15
  Télex: 250055 Forum Paris

TRIOMPHEZ DE VOUS-MÊME
ET DES AUTRES

Dᴿ JOSEPH MURPHY

 le jour,
éditeur

Données de catalogage avant publication (Canada)

Murphy, Joseph, 1898-

   Triomphez de vous-même et des autres

   Traduit de l'anglais.

ISBN 2-89044-383-3

   1. Succès.   2. Guérison par la foi.   I. Titre.

BJ1470.M8714   1988   158'.1   C88-096311-5

Bibliothèque nationale du Québec
Dépôt légal — 2e trimestre 1988

ISBN 2-89044-383-3

PRÉFACE

Ce livre peut changer votre vie

Ce livre peut produire des miracles dans votre vie. Vous en ferez l'expérience. Et vous comprendrez la nature de ces miracles.

Un miracle est pourtant un événement inexplicable. Des forces mystérieuses s'y manifestent. Aussi parle-t-on à ce propos de magie ou de sorcellerie. Mais ce ne sont là que des approximations. Lorsque vous connaîtrez les forces agissant en vous et leurs manifestations, il ne vous viendra plus à l'esprit de chercher une explication dans la magie ni de parler de miracle. Par exemple, la radio, le tourne-disque, le cinéma, la télévision n'auraient-ils pas été tenus il y a seulement deux cents ans pour des miracles, des manifestations de forces inexplicables? Or, aujourd'hui, chacun sait qu'il n'en est rien. Vous ne trouvez rien qui relève du miracle dans un récepteur de radio. Et pourquoi? Parce que vous savez comment il fonctionne.

Nous ignorons en quoi consistent les forces élémentaires. Qui plus est, tout prend sa source dans l'esprit, mais nous savons à peine ce qu'il faut entendre par ce terme. Nous ne pouvons analyser cette force au microscope, nous ne pouvons la voir, mais nous en percevons l'effet. Nous nous rendons compte de la manière dont elle agit. Ainsi remontons-nous à la source d'une force secrète capable de nous élever et de nous transporter sur les sommets du bonheur, de la liberté et de la paix intérieure.

Comment vous servir dans la vie quotidienne
de la force miraculeuse qui réside en vous

Par exemple, même si nous ne savons pas ce qu'est, en dernière analyse, l'électricité, nous en connaissons dans une certaine mesure les effets. Il s'agit donc d'une force dont la nature nous est encore inconnue. Néanmoins, nous nous en servons tous chaque jour comme si cela allait de soi. En quelque sorte, nous faisons appel chaque jour à des forces magiques. Autre exemple: nous ignorons totalement à quoi nous devons la faculté de nous mouvoir et même de remuer simplement un doigt. Or, nous pouvons bouger parce que nous le voulons, c'est un effet de notre volonté, cette force spirituelle. Mais, dit-on, le simple mouvement d'un doigt affecte l'étoile la plus éloignée. Vous pouvez donc constater que nous avons tous une vaste expérience de nos rapports avec les forces magiques, même si nous ne les désignons pas sous ce nom dans notre langage quotidien. Nous qualifions de magique ou de miraculeux ce qui sort de l'ordinaire et échappe à notre entendement.

Vous disposez de forces spirituelles. Vous apprendrez à vous en servir plus efficacement. Tel est l'objectif de ce livre. Si vous mettez en oeuvre comme il convient vos forces spirituelles, des miracles se produiront dans votre vie.

Comment ce livre est susceptible de changer votre vie

Spécialement écrit pour vous, le présent ouvrage vous donne les moyens de réformer complètement votre vie. Dans les quinze chapitres qui suivent, vous trouverez, dans des termes simples, sous une forme familière, un exposé des possibilités et des techniques dont vous disposez pour tirer parti des forces miraculeuses de l'esprit universel auquel vous participez. Ainsi aurez-vous la joie de voir votre personnalité s'épanouir et de connaître une profonde satisfaction intérieure.

Dans ces pages, rédigées avec soin et avec un maximum d'esprit critique, vous lirez comment un homme, en faisant appel aux forces miraculeuses de son esprit, a échappé à la pendaison, et comment un malade a pu se guérir lui-même tant de l'hydropisie que d'un glaucome. Vous lirez aussi le récit fascinant d'un homme qui, en faisant appel aux forces sommeillant dans son inconscient, a réussi à gagner les millions convoités.

Ce livre vous montrera, d'une manière captivante et convaincante à la fois, comment des gens comme vous et moi ont réussi des performances étonnantes grâce aux forces spirituelles dont ils disposaient. Il vous montrera comment changer, par vos propres moyens, votre personnalité. Vous deviendrez un être nouveau par vos propres forces. En vous réside la force qui opère des miracles. Elle sommeille dans votre inconscient. L'unique objet de ce livre est de vous enseigner comment découvrir en vous la source de cette force miraculeuse et comment en tirer parti.

Pourquoi il y a une solution à chacun de vos problèmes

Il y a une solution à chaque problème. Je suis convaincu que chacun de vous trouvera dans ce livre la réponse à ses questions les plus pressantes. En effet, ce livre est axé sur la vie pratique et l'expérience humaine en général. Vous y trouverez l'histoire d'un homme qui, grâce aux méthodes décrites, réussit à tripler son chiffre d'affaires en peu de temps; celle d'une jeune fille qui découvre soudain des slogans publicitaires d'un effet «miraculeux» pour son entreprise, ce qui lui permet de percevoir des dividendes d'un montant fabuleux; ou encore celle d'un écrivain parvenu au succès et à la renommée, les meilleures idées lui venant toutes seules. Tout cela, c'est le résultat obtenu par la mise en oeuvre des forces spirituelles dont nous disposons.

Il existe une force spirituelle universelle. Cette force est toute-puissante. Quoi que vous désiriez, elle est capable de vous donner satisfaction. Cette force, de nature spirituelle, réside en vous. C'est votre esprit, qui participe de l'esprit universel et est un avec lui.

Ce livre vous montrera comment penser et que penser, comment vous orienter spirituellement et vous conduire pour que des miracles se produisent dans votre vie. Vous trouverez des indications d'une valeur inestimable, qui vous permettront de bannir à jamais la peur, le chagrin, le désespoir et la jalousie, ces poisons de la vie spirituelle.

Vous serez captivé par la biographie d'un jeune homme ayant fait rapidement carrière et devenu président de sa société, ou encore par celle de cette femme qui, grâce à sa foi et à la vertu curative miraculeuse qui sommeillait en elle, a été délivrée du mal qui la tourmentait et de la joie qu'elle éprouvait devant le malheur d'autrui.

En lisant ces récits et en commençant à percevoir la force miraculeuse qui réside en vous, vous vous engagez dans une aventure grandiose: vous assistez à l'épanouissement de vos forces spirituelles. Votre voyage dans les profondeurs de votre âme vous sera d'un grand profit. Vous êtes en voie d'épanouir votre personnalité et de trouver le bonheur auquel vous avez droit. Vous serez payé en espèces sonnantes qui sont: l'amour, la santé, la prospérité et l'harmonie. Le voyage sera captivant. Vous pourrez ensuite considérer votre avenir avec joie et enthousiasme. Poursuivez au fil des pages le voyage qui vous mène à vous-même, jusqu'à ce que toutes les ombres se dissipent, jusqu'à l'aurore d'un jour qui sera magnifique.

CHAPITRE 1

La loi étonnante de la communication

*Et tout ce que vous demanderez dans
une prière pleine de foi, vous
l'obtiendrez.*

Matthieu 21 : 22

La solution, c'est toujours la prière. Car *Dieu est pour nous
refuge et force, secours dans l'angoisse toujours offert* (Ps. 46:2).
Prions avec foi, et nous obtiendrons ce que nous désirons. S'il en est
ainsi — et l'expérience quotidienne le prouve — la prière est la plus
grande force de l'homme, une force que nous pouvons utiliser en tout
lieu et à tout moment. Quel que soit le problème, si importantes que
soient les difficultés, la prière aide toujours et apporte d'heureuses
solutions. Après la prière, vous ferez toujours et en toute matière ce
qu'il convient de faire.

Par la prière, vous entrez en communication avec la sagesse
infinie. Vous y conformez votre pensée et trouvez en vous-même
une réponse concordant avec votre pensée et avec votre foi. En
priant, vous pouvez obtenir ce dont vous avez besoin et envie à
condition que vos souhaits soient sensés, sincères et conformes aux
lois naturelles auxquelles votre esprit est également soumis. La
prière, sans cesse, rend possible ce qui paraissait impossible et
guérit les «incurables». Dans l'histoire de l'humanité entière, il n'est
pas de problème qui n'ait été résolu, un jour ou l'autre, par la force de
la prière.

Les hommes du monte entier, de toutes cultures, de toutes
religions et de toutes époques ont toujours cru à la force mysté-

11

rieuse et merveilleuse de la prière. Il est dit dans la Bible que *Dieu n'est point partial* (Actes 10:34). Dieu est accessible à tous, à chaque homme indépendamment de sa race, de sa couleur ou de sa confession. Tous ceux dont les prières ont été exaucées ont placé, consciemment ou inconsciemment, leur confiance et leur foi dans la sagesse infinie, cette force spirituelle qui réside en chacun de nous.

Nous devrions aussi nous rappeler que Dieu est tout-puissant, omniscient et omniprésent, indépendant du temps, de l'espace, des intérêts et des caprices d'une humanité par trop humaine. Aussi n'est-il pas difficile de comprendre que la force de la prière est illimitée: *Pour Dieu tout est possibe* (Matthieu 19:26).

Le miracle de la prière

F.L. Rawson, ingénieur très connu et l'un des plus grands savants d'Angleterre, auteur d'un livre intitulé *Life Understood,* édité par Wm. Clowes and Sons, à Londres, a rapporté le cas d'un régiment britannique qui, pendant la Seconde Guerre mondiale, combattit sous les ordres du colonel Whittlesey pendant plus de cinq ans sans jamais perdre un seul homme. Ce record sans précédent fut obtenu grâce a une coopération étroite et active entre les officiers et la troupe: tous, chaque jour, se pénétraient des paroles du psaume 91 et priaient ensemble — c'est le psaume bien connu sous le titre *Sous les ailes divines.*

À Cleveland dans l'Ohio, une maison d'édition, la Ralston Publishing Company, imprime en format de poche des cartes qu'elle distribue aux soldats et aux marins. Sur ces cartes, on trouve d'un côté le rapport des faits mentionnés plus haut, et de l'autre — sous la rubrique *Pour la protection des soldats et des marins* — le psaume 91.

Les vérités du salut sans cesse répétées dans ce psaume firent prendre conscience au régiment tout entier qu'il se trouvait placé sous la protection du Tout-Puissant. Par la répétition de la prière et l'espoir fondé sur sa foi, chacun imprégna son subconscient de cette vérité et acquit la certitude d'être placé à tout moment sous la protection de Dieu. C'est là un des miracles rendus possibles par la prière.

La sentence de mort par pendaison ne put être exécutée

Il y a quelques années, je lus dans un article d'Emma Curtiss Hopkins (auteur également de *Resume*, édité par la Sun Printing Company, à Pittfield, Massachusetts) le récit d'un événement miraculeux, attesté par les dossiers de la justice pénale et conservé dans les archives fédérales. Je me limite ici à l'essentiel. Il y a soixante-dix ans, un homme fut condamné à la pendaison. Entre la condamnation et l'exécution, il chercha refuge auprès de Dieu et de son amour qui pardonne tout. Il croyait fermement que Dieu acceptait son repentir et lui rendrait la liberté. Cet homme avait effectivement commis le meurtre dont on l'accusait, mais il avait entendu dire, ou avait lu quelque part, que Dieu était aussi le rédempteur des malfaiteurs, leur libérateur et leur sauveur. Lorsque cet homme fut conduit à la potence, il se passa à la vue de tous quelque chose qui jeta le plus grand trouble parmi les représentants de la force publique chargés de l'exécution: la plate-forme de la potence, qui normalement s'affaissait sous la moindre pression, résista au poids du condamné. Quand celui-ci posa le pied dessus, elle résista à tous les efforts du bourreau. Cet événement fit une telle impression que l'homme fut gracié et remis en liberté.

Effectivement, l'amour divin surpasse notre entendement humain. Il éclaire notre voie. Les bienfaits de Dieu ne cessent jamais. Dieu est amour, il ne juge ni ne condamne: *Tes yeux sont trop purs pour voir le mal, tu ne peux regarder l'oppression*, dit la Bible (Hab. 1:13). C'est nous qui jugeons en fonction de notre entendement et de nos croyances. Vous déterminez vous-même votre pensée. Vous opérez ainsi un choix et portez par là-même un jugement sur vous. Dieu, dans sa perfection, vous voit sans tache. Si vous en prenez conscience avec assez de netteté et d'intensité pour vous pardonner vous-même et purifier votre esprit et votre âme, votre passé sera non seulement refoulé, mais à jamais oublié.

La loi inexorable vous condamnant à récolter ce que vous avez semé ne s'applique que jusqu'au moment où vous priez ou méditez sur les vérités divines. Même si vous avez commis de graves injustices et de lourdes fautes, elles pourront être effacées de votre conscience et de votre inconscient, au même titre que les conséquences négatives affectant normalement une vie sentimentale alourdie de culpabilité, celle-ci se manifestant sous forme de punitions. Cependant, professions de foi et prières prononcées du bout des lèvres ne peuvent rien changer à la situation. Ce qu'il faut, c'est un besoin authentique de l'amour de Dieu, allant de pair avec la volonté sincère de changer. Sinon, personne ne peut échapper aux conséquences néfastes d'un état d'esprit destructeur et négatif.

En Angleterre, il m'est arrivé de rencontrer des malfaiteurs n'ayant pas que des bagatelles sur la conscience: il s'agissait d'assassins. Pourtant, ces hommes, après avoir perçu l'amour de Dieu et s'en être imprégnés, se sont transformés au point d'en devenir méconnaissables. Ils me sont littéralement apparus comme des hommes nouveaux issus d'une renaissance plus heureuse. Leur métamorphose intérieure était telle qu'il leur aurait été absolument impossible de répéter les fautes commises dans un passé dont ils s'étaient dépouillés.

La prière peut changer votre vie

Il y a une vingtaine d'années, j'eus en Angleterre un entretien avec un homme qui m'avoua avoir tué un autre homme. Ses paroles témoignaient de son désir de devenir autre par la purification de son esprit et de son âme. J'écrivis une prière spécialement pour lui et lui conseillai de la prononcer avec ferveur aussi souvent qu'il en éprouverait le besoin, trois fois par jour pour le moins. À cette fin, il devait observer un calme absolu pendant quinze ou vingt minutes et se concentrer en silence pour demander à Dieu son amour et sa paix, sa beauté, sa magnificence et sa félicité, afin qu'en les éprouvant son âme soit purifiée, guérie et libérée. Il le fit régulièrement, de sorte que ces attributs de Dieu devinrent peu à peu des traits de son caractère.

Ce qui se passa à la suite de cette prière sincère et simple est fascinant. Il me raconta, quelques mois plus tard, qu'une nuit, il s'était trouvé corps et âme dans la chambre même qu'il occupait, au milieu des flammes. Comme Paul jadis, il fut aveuglé par la lumière. Il ne se souvenait de rien sinon que — selon ses propres termes — il savait porter en lui le monde entier et se sentait rempli et ravi par l'amour de Dieu. C'était un sentiment inexprimable. Il avait traversé l'instant de l'éternité.

En tout cas, il parut ensuite effectivement changé. Il avait fait l'expérience de l'amour divin et en portait témoignage dans son corps et dans son âme. Comme je l'appris plus tard, il se décida finalement à communiquer ce qu'il avait vécu, et s'employa à amener ses semblables sur le chemin de l'amour.

Vous pouvez devenir celui que vous désirez être

Récemment, je reçus la visite d'un homme ayant un besoin pressant de conseils. Il était alcoolique et n'avait su garder aucun de ses nombreux emplois. Il était considéré comme paresseux et dépourvu d'initiative, on trouvait qu'il manquait d'esprit de décision ou de joie de vivre, voire des deux. Son seul objectif était d'aller au ciel après sa mort.

Je lui expliquai que le ciel était un état de paix spirituelle. Il n'avait pas à s'inquiéter de la mort physique (ce qu'il faut entendre par là, l'auteur du présent ouvrage l'a expliqué en détail dans le livre intitulé *Le Miracle de votre esprit*, Le Jour, éditeur). Je lui assurai que la seule mort véritable était le processus psychologique qui amenait un homme à s'abandonner, à s'étioler, à «mourir» en se laissant aller sur la pente de l'ignorance et de la paresse, de la peur et de la superstition. De cela, lui dis-je, triomphent la foi et l'enthousiasme, la confiance et une vie bien remplie.

Il prit l'habitude de prier comme je le lui avais conseillé. Il demandait dans ses prières que la sagesse infinie l'accompagne partout et l'aide à accomplir pleinement sa vie; il priait pour se sentir de mieux en mieux dans son esprit et dans son âme et pour avoir la main heureuse dans la poursuite de ses intérêts.

Avec le temps, il acquit une vision complètement différente de la vie. Il cessa de se laisser aller et découvrit dans son existence la source de nouvelles joies. Parallèlement, il se mit sérieusement au travail. Le succès ne se fit pas attendre: il obtint de l'avancement et occupa bientôt un poste plus élevé. Ses possibilités d'action s'accrurent; il assuma des responsabilités plus grandes et s'en trouva satisfait. Son nouvel état d'esprit changea sa vie entière. Il exprima lui-même cette transformation de sa personnalité et de sa situation en ces termes: «Je vis maintenant au ciel!» Naturellement, il voulait dire par là qu'il connaissait désormais le bonheur que procurent la santé, un équilibre harmonieux et une vie vraiment accomplie.

Une sagesse infinie nous gouverne

Il y a bien longtemps, je me trouvais à Auckland en Nouvelle-Zélande pour y faire une série de conférences. À l'issue de l'une d'elles, un homme vint me dire: «Je voudrais tellement me rendre à New York pour y voir ma fille, mais je n'ai pas d'argent.»

Je luis répondis: «Avez-vous écouté ma conférence?

— Oui, dit-il, mais...»

Je pris prétexte de ce «mais» pour lui recommander d'affranchir son esprit de tous les doutes et d'adopter une attitude décidément positive en faisant confiance à la sagesse infinie. Celle-ci saurait lui aplanir la voie qui menait à New York, afin qu'il pût rencontrer sa fille. Il devait, lui dis-je, répéter cette prière simple plusieurs fois par jour. Et la nuit, il s'imaginerait en train d'embrasser sa fille, heureuse de le revoir. Il se verrait la tenant dans ses bras et l'entendrait lui dire: «Je suis si heureuse, père, que tu sois ici.»

Avant mon départ d'Auckland, il me téléphona à mon hôtel. «C'est un miracle, dit-il au comble du bonheur, une ancienne relation d'affaires, qui m'avait fait perdre mille livres, en a eu du remords au moment de mourir et m'a laissé de son héritage la part qui me revenait. Dans quelques mois, je reverrai ma fille.»

Une sagesse infinie nous gouverne. En nous confiant à elle, nous nous trouvons dans la bonne voie. Mais ses méthodes dépassent notre entendement.

La prière surmonte les préjugés raciaux

Un jeune homme dont je fis la connaissance dans l'armée — il appartenait à mon bataillon — me raconta un jour: «Savez-vous, avant la guerre, j'ai essayé pendant plusieurs années de me faire inscrire à la faculté de médecine d'une certaine université. Le nombre des places était limité. Chaque fois, ma demande était refusée au profit d'autres étudiants, bien que mes notes fussent supérieures à la moyenne. Ainsi m'a-t-on fait payer pour ma race et ma religion.»

Ce jeune homme était convaincu d'avoir été la victime de préjugés raciaux. J'essayai de lui expliquer que la sagesse infinie ne fait pas de distinction entre les personnes et qu'elle réagit toujours selon la foi de chacun. Ce qui arrive à l'homme, lui dis-je, a sa cause dans l'homme même. Nous eûmes un long entretien sur la part consciente de l'esprit d'un côté, et sur la part de l'inconscient qui sommeille sour le seuil de la conscience claire de l'autre, ainsi que sur les rapport existant entre ces deux sphères de la vie affective et spirituelle. (À ce sujet, il convient d'attirer l'attention sur l'ouvrage intitulé *La Puissance de votre subconscient*, paru aux Éditions du Jour.)

Mon interlocuteur se familiarisa rapidement avec cette idée qui n'a rien de surprenant pour un psychologue, à savoir que chaque homme est dirigé d'une manière entièrement autonome par son subconscient. De là lui parvient la réponse de la sagesse infinie. Le subconscient sait tout. Dans l'inconscient se trouve la clef de la réalisation de tous les souhaits, l'outil «technique» en quelque sorte. À l'issue de cet entretien — pour vérifier la théorie à la lumière de la pratique —, je proposai à ce jeune homme de faire une expérience. Il accepta.

Toujours, avant de s'endormir, il s'imaginait voir son nom sur un diplôme de doctorat. Il se pénétrait de plus en plus de cette vision. Il se voyait le diplôme en main. Il lisait son nom. Il sentait le papier dans ses mains. Et il ressentait profondément la joie d'être médecin. Ce faisant il conférait à sa représentation les traits d'une réalité authentique. Il concentrait son attention sur le point final de la carrière dans laquelle il voulait s'engager, voyait comme sous une loupe le diplôme qui lui avait été décerné. Il pouvait ainsi le considérer comme réel et avoir la sensation de tenir le document imaginaire au moment de s'endormir.

Cette prière suggestive ne fut pas vaine. Un matin, il me salua en ces termes: «J'ai le sentiment que quelque chose est en cours et que je ne resterai plus très longtemps ici.»

C'était la voix de son subconscient qui lui disait: «Tout va bien.» Effectivement, tout allait bien. Il s'en rendit compte lorsque le commandant de la garnison lui fit savoir que, grâce à ses bonnes notes, il allait pouvoir entreprendre ses études de médecine aux frais de l'armée américaine, à condition bien entendu d'être reçu à l'examen d'entrée.

Il passa cet examen sans la moindre difficulté et entreprit peu de temps après ses études de médecine avec enthousiasme. Il avait appris que, pour devenir médecin, il n'était pas nécessaire de se faire inscrire à la faculté de médecine d'une université déterminée. Mais il avait aussi appris à se laisser conduire par une sagesse infinie qui lui permettait de devenir ce qu'il souhaitait être du fond du coeur.

La prière ouvre les portes des prisons

Ce que je vais vous rapporter maintenant remonte à plusieurs années. Néanmoins, je vois encore ce détenu devant moi comme si c'était hier. Il ne pensait à rien d'autre qu'à la liberté. Il se donnait un air parfaitement amer et cynique. Des actes dirigés contre la société et incompatibles avec les règles d'or de la vie l'avaient amené en prison. Et, chose encore plus grave pour lui, il était psychologiquement captif et vivait à cette époque dans le cachot de sa propre haine et de son implacable malveillance.

Je lui indiquai en détail les préceptes à observer pour changer sa mentalité. Je finis par obtenir de lui qu'il prie pour ceux qu'il haïssait ou croyait haïr. Ainsi se répétait-il sans cesse ces mots: «Ils sont emplis de l'amour de Dieu. À eux tous, je souhaite succès, bonheur et paix.»

Chaque jour, il répétait cette prière à plusieurs reprises. Le soir, avant de s'endormir, il s'imaginait être chez lui, dans sa famille. Il allait et venait en pensée avec sa fillette dans les bras et entendait la voix argentine de l'enfant: «Papa, comme je suis contente que tu sois là!» Chaque jour, il s'efforçait de réaliser cette représentation. Du fait de cette suggestion constante, l'image lui devint de plus en plus familière. Peu à peu, elle devint pour lui une réalité, une partie de lui-même.

Ainsi, il inculqua à son subconscient une foi profonde en la liberté. En outre, le changement intérieur de cet homme se manifesta extérieurement par un fait remarquable. Il n'éprouva plus le besoin de prier pour obtenir sa liberté. Du point de vue psychologique, ceci montrait qu'il avait assimilé subjectivement son désir de liberté. Il avait trouvé la paix intérieure. Il restait en prison, mais son expérience subjective lui enseignait qu'il était libre. Une certitude intérieure le lui disait. Comme il avait réalisé son désir de liberté sur le plan spirituel, il n'avait plus besoin de demander par la prière une liberté que, subjectivement, il avait déjà obtenue.

Il fut d'ailleurs libéré bien avant l'expiration de sa peine. Des amis s'occupèrent de son cas et obtinrent la révision du procès. Des éléments nouveaux jouèrent en sa faveur et le premier jugement fut cassé. Lorsque les portes de la prison s'ouvrirent devant lui, il entra dans une nouvelle vie.

La prière de sa fiancée le préserva de la ruine financière

À l'époque, je donnais des conférences hebdomadaires portant sur mon ouvrage *La puissance de votre subconscient*. Une jeune femme, qui assistait régulièrement à ces lectures, me répliqua un jour d'une voix lourde de tristesse que, malgré tout, il n'existait plus pour son fiancé de possibilité de sauver sa compagnie et d'échapper à la faillite. Il ne pouvait plus régler les factures venues à échéance, sa voiture avait déjà été mise en gage. Elle me dit: «C'est impossible, je ne vois plus la moindre chance. C'est à désespérer.»

Je lui suggérai de renoncer à cette autosuggestion négative et de la remplacer par une idée contraire. Trois ou quatre fois par jour, elle se plaça dans un état de passivité complète, de calme intellectuel et d'attente. Dans cet état d'équilibre intellectuel, elle orienta ses pensées et ses sentiments sur la conviction qu'il y avait sans aucun doute une solution positive pour son fiancé. Et chaque soir, avant de s'endormir, elle se concentrait sur l'idée suivante: «Je suis parfaitement calme et je sais qu'il y a une solution pour lui, grâce à la sagesse qui réside dans mon subconscient. Je suis d'accord sur cette façon d'échapper à toutes les difficultés, et j'ai la conviction que la providence assurera une fin heureuse à tout ceci.»

Par cette technique de la prière, elle renonçait sciemment à tout raisonnement logique et se tournait, pleine de confiance, vers la source de la sagesse, qui traverse l'inconscient et connaît la réponse.

Soudain, la solution fut là. Le fiancé de la jeune fille ne s'y attendait pas. Il l'appela au téléphone pour lui dire qu'un miracle s'était produit. Il avait reçu un chèque de deux mille dollars. Avec un retard de dix ans, quelqu'un lui avait remboursé une dette passée depuis longtemps au compte des pertes. Ce fut la réponse inattendue à la prière formulée avec foi. Elle nous incitera à nous souvenir de ce que dit la Bible: *Avant même qu'ils appellent, je leur répondrai; ils parleront encore qu'ils seront déjà exaucés* (Isaïe 65:24).

Votre prière quotidienne

«Malgré ce qui, hier encore a pu être négation et refus, ma prière aujourd'hui va s'élever avec joie pour confirmer la vérité, je le sais.

«Ce jour est un jour divin, un jour magnifique pour moi. En moi résident paix, joie et harmonie. Je crois en la bonté divine, je crois que Dieu me guide et m'aime. J'ai la conviction que ces pensées, mes pensées, se gravent dans mon esprit et dans mon âme. J'attire irrésistiblement tout le bien que mon coeur désire, et j'en fais l'expérience dans ma propre vie. Je place maintenant toute ma foi et ma confiance, toute mon assurance en la puissance et en la sagesse de Dieu qui est en moi. La paix est en moi.

«Dieu est en moi. Et j'entends en moi la voix qui m'invite: *Venez à moi, vous tous qui peinez et ployez sous le fardeau, et moi, je vous soulagerai* (Matthieu 11:28).

«Je trouve réconfort, je repose en Dieu. Tout est bien.»

RÉSUMÉ

1. La prière est toujours la solution. La prière est un souhait confié à Dieu, et Dieu vous répond.

2. Avec Dieu tout est possible. Dieu est tout-puissant, et rien ne lui résiste.

3. En répétant le psaume 91 et en croyant à la promesse de salut qu'il apporte, vous trouverez la possibilité de vivre dans le bonheur.

4. Une confiance absolue en Dieu peut vous préserver de la mort.

5. Ouvrez votre coeur à l'amour de Dieu et à la paix, et le passé tout entier sera effacé et oublié.

6. Un nouvel état d'esprit face à la vie peut changer votre existence. Votre vie et votre univers sont modelés par l'idée générale que vous vous en faites et marqués par les convictions qui vous dominent.

7. Bannissez le doute et la crainte dans vos prières, et placez votre confiance en la sagesse infinie qui vous guide; elle sait comment exaucer vos souhaits.

8. Dieu, dans sa sagesse infinie qui habite tout homme, n'est pas partial: il est là pour quiconque croit en lui.

9. La prière ouvre les portes des prisons, et aussi les portes de ce cachot intérieur que forment la haine, la malveillance et le désir de vengeance.

10. Il y a toujours une issue, toujours une solution. Gardez votre calme et faites confiance à Dieu. Il connaît la réponse, et parce que Dieu la connaît, vous la connaissez aussi. *Le père et moi, nous sommes un* (Jean 10:30).

11. *...Tout ce que vous demanderez en priant, croyez que vous l'avez déjà reçu, et cela vous sera accordé* (Marc 11:24).

CHAPITRE 2

La loi secrète de la foi

Qu'il vous soit donné selon votre foi.

Matthieu 9:29

Croire est une façon de penser, un état d'esprit qui mène à certains résultats. Au sens de la Bible, la foi est une conviction reposant sur des lois éternellement valables et sur des principes immuables. Votre foi est une synthèse de votre pensée et de vos sentiments, la masse de fusion de votre esprit et de votre coeur. Cette foi est si vaste et si forte que de l'extérieur, rien ne peut l'ébranler.

Dans l'Évangile selon saint Marc, vous trouverez ce passage admirable (11:23) sur le pouvoir de la foi: *En vérité je vous le dis, si quelqu'un dit à cette montagne: «Soulève-toi dans la mer», et s'il n'hésite pas dans son coeur, mais croit que ce qu'il dit va arriver, cela lui sera accordé.*

La montagne de cette parabole, ce sont vos problèmes, vos difficultés, la mer, c'est votre subconscient, dans lequel vos problèmes et vos difficultés trouvent leur solution. Si le doute doit être banni de votre coeur, c'est-à-dire de votre subconscient, il faut que votre pensée consciente et votre sentiment subjectif soient d'accord et disent oui.

Ces grandes et saintes vérités sont d'une clarté parfaite. Elles vous montrent sans la moindre équivoque que vous avez en vous la sagesse et la force nécessaires pour vous sortir de la misère et de la maladie et donner une réponse à vos prières. Elles vous mènent sur les sommets du bonheur et de la joie, de la paix intérieure et d'un rapport harmonieux avec votre entourage, avec tous les hommes, avec le monde entier.

Le pouvoir miraculeux de la foi

Il y a quelques années, je fis la connaissance d'un homme engagé dans le service des ventes d'une entreprise chimique comptant plus de deux cents employés. Après la mort du directeur du service des ventes, le vice-président de cette société lui offrit ce poste, mais il refusa. C'est plus tard seulement qu'il se rendit compte du vrai motif qui l'avait poussé à refuser cette offre intéressante. Il avait eu peur d'assumer la grave responsabilité inhérente à cette position. Cet homme n'avait confiance ni en lui-même ni en sa force intérieure. Parce qu'il manquait d'assurance, il avait laissé passer une chance qui ne devait plus se reproduire.

Au cours de mon entretien avec cet homme, je constatai que, d'une manière générale, il doutait de la possibilité d'avoir du succès dans la vie.

Effectivement, cet homme était entièrement prisonnier d'une conviction négative profondément ancrée en lui. Je lui expliquai qu'une telle conviction était injustifiée et que sa foi s'était engagée dans une mauvaise voie. Il ne croyait qu'à son insuffisance et vivait avec la conscience persistante de son inaptitude à avancer dans la vie et à faire ses preuves.

Il parvint à changer complètement son attitude. Sa transformation intérieure s'est opérée sous l'effet de la suggestion suivante, ·dont il n'a cessé de se pénétrer: «Je modifie complètement ma pensée et mon sentiment. Je n'ai pas besoin de plus de foi que je n'en ai eu jusqu'ici. Il faut simplement que j'engage ma foi dans la juste voie et que je la mette en oeuvre d'une manière systématique. Je sais que mon subconscient enregistre ce que je crois à mon sujet, et qu'il réagit en conséquence. Je crois en Dieu qui se trouve en moi. Je sais que Dieu me guide. Je sais que je suis voué au succès et que la sagesse infinie m'offrira une nouvelle chance. Je me sais pénétré d'une profonde confiance et parfaitement équilibré. Je crois au bien, et je vis dans l'attente joyeuse que tout s'arrangera pour le mieux.»

Il fallut peu de temps à cet homme pour s'identifier intellectuellement et affectivement à ces pensées. En s'imaginant avoir du succès, il eut du succès. On lui offrit une position aussi importante que la première. Il accepta ce poste avec joie et atteignit son but grâce au pouvoir miraculeux de la foi.

Nous avons tous des croyances

Personne ne croit à rien. Chacun, d'une manière ou d'une autre, croit en quelque chose. Certains, il est vrai, ne croient qu'à des choses négatives, ne s'attendent qu'à des maladies ou à des accidents, sont convaincus d'échouer dans la vie et d'être victimes d'une fatalité. Il ne suffit donc pas d'inviter à croire, mais il est nécessaire de dire à quoi il faut croire, comment mettre la foi en oeuvre. La foi doit-elle être un moyen de construire ou de détruire? C'est la question.

Notre attitude fondamentale, nos convictions — ce qui constitue notre foi — jouent un rôle déterminant, que nous connaissions le bonheur ou que notre vie soit un enfer. N'est-il pas évident que les convictions les plus nobles sont celles que se fondent sur des principes éternellement en vigueur et immuables? Ayez confiance en la bonté de Dieu et en la puissance créatrice de votre esprit. Croyez à tout ce qui est bon et escomptez pour vous-même, la joie au coeur, ce qu'il y a de mieux. Confiez-vous sans réserve à la sagesse infinie qui vous guide toujours et partout. Ayez la conviction profonde que Dieu vous aide, qu'il aplanira vos difficultés et assurera votre santé de corps et d'esprit. Croyez à la force invisible qui agit en vous, qui participe du Tout-Puissant et vous rend capable de suivre votre chemin avec assurance, sans peur, sans doute, sans chagrin, sans crainte de dangers imaginaires.

Croire à l'invisible

Il est dit: *Or la foi est la garantie des biens qu'on espère, la preuve des réalités qu'on ne voit pas* (Héb. 1:11).

Les grands savants, les grands mystiques, les poètes, les artistes, les inventeurs sont tous animés d'une foi jamais défaillante en la force invisible agissant en eux. Le savant croit à la possibilité de réaliser son idée. L'idée de la radio existait réellement — bien qu'invisible — dans l'esprit de son inventeur. L'idée de l'automobile était, pour Henri Ford, une réalité intellectuelle. Et quand un architecte conçoit un nouvel édifice, l'idée en existe véritablement dans son esprit. Ainsi le plan du présent livre existe-t-il aussi dans mon esprit tandis que j'entreprends de l'écrire. Les pages se garnissent de notions, d'idées et de convictions invisibles gravées dans mon esprit.

Vous ne sauriez trop estimer le fait que vos désirs, vos idées et vos rêves sont des réalités spirituelles tout comme un projet de voyage ou un plan quelconque comme, par exemple, l'idée d'un prochain tableau pour un peintre. L'assurance qu'il s'agit d'une réalité, que chacune de ces images a forme et substance sur le plan intellectuel, qu'elle existe aussi réellement que votre main dans le domaine de la matière, cette assurance donne à votre croyance une base scientifique et vous permet d'atteindre sans trouble, sans crainte et sans tergiversation le port tranquille d'une conviction profondément ancrée dans votre inconscient. Or, tout ce qui atteint votre subconscient se reflète sur l'écran de votre vie. Ainsi vos représentations sont-elles projetées dans l'espace et réalisées objectivement.

Aidé par sa foi

Pendant les cours que je donnais à San Francisco, j'eus un jour une discussion avec un homme ayant perdu toute confiance en soi. On voyait tout de suite qu'il était malheureux et déçu. Ses affaires n'allaient pas bien. Directeur général d'une grande entreprise, il était en désaccord avec le président et le vice-président de sa société. Il en parlait avec beaucoup de mauvaise humeur. «Ils sont tous deux contre moi, c'est bien simple!» disait-il. Naturellement, ces désaccords au sein de la direction étaient loin de faire avancer les affaires de la société. Pour le directeur général lui-même, les pertes de la société, qui n'était pas en mesure de distribuer des dividendes, se traduisaient par une diminution sensible de ses propres revenus. Par manque de confiance en soi, il se trouvait dans une situation telle qu'il avait l'impression de perdre sur tous les tableaux.

Il m'assura être incapable de croire à ce qu'il ne pouvait voir, entendre, toucher, sentir ou goûter. Il faisait uniquement confiance à ses cinq sens. «Mais est-ce que vous pouvez voir votre esprit, les forces dynamiques agissant en vous, les forces qui vous font vivre? Pouvez-vous voir l'affection que vous portez à votre enfant, voir, sentir ou toucher les réflexions auxquelles vous vous livrez sur le plan intellectuel?»

Il discerna immédiatement ce qui était au coeur de ma question et ajouta: «Bien sûr, je sais que je suis un organisme vivant. Et naturellement, je ne peux pas étudier la vie au microscope ni l'analyser dans un laboratoire de chimie.»

Au fil de notre entretien, il se rendit compte que, pour trouver la paix intérieure et connaître le succès, il lui fallait retrouver la source de la sagesse qui jaillissait en lui, source bien supérieure à son intellect pourtant fort aiguisé, et située au-delà de tout entendement. Il devait parvenir à établir un rapport psychique, intellectuel et affectif positif avec cette force intérieure sommeillant dans son subconscient. Voici le texte de la prière qu'il répéta plusieurs fois par jour:

«Les membres de notre société sont tous des maillons précieux, faits à l'image de Dieu, dans la chaîne de la croissance et de la prospérité voulues par Dieu. Les pensées, paroles et actions par lesquelles je m'adresse à mes supérieurs et à tous mes collaborateurs s'inspirent toutes de ma bonne volonté. L'amour et la volonté de faire le bien sont en moi. C'est ce que je pense et ressens à l'égard du président et du vice-président de notre société. La sagesse infinie décide par moi et guide toutes mes décisions. Ma vie entière est consacrée à bien faire. Quand je pense à mon bureau et à l'entreprise, je suis plein d'amour et de joie, de paix intérieure et d'harmonie. La paix de Dieu règne sur tous les collaborateurs de notre société, sur le coeur et l'âme de chacun, y compris de moi-même. Je commence maintenant une nouvelle journée, plein d'une confiance inébranlable.»

Bien que très occupé, cet homme prit l'habitude de répéter quatre ou cinq fois par jour cette prière. Il priait lentement, en se recueillant sur la vérité profonde de ses paroles, qui se gravèrent dans son subconscient. Si, au cours de la journée, il était assailli de pensées irritantes ou de craintes subjectives, il y échappait en se disant: «La paix de Dieu emplit mon âme.»

De cette manière, il fut de moins en moins souvent exposé à l'influence nocive de crises d'humeur négatives, qui finirent par disparaître complètement. Il avait trouvé la paix du coeur.

Beaucoup plus tard, il m'écrivit que le président et le vice-président l'avaient appelé pour lui exprimer leur regret de la tournure qu'avaient prise leurs relations; ils lui avaient proposé de coopérer sur une base nouvelle et harmonieuse dans l'intérêt de la société, en lui assurant que celle-ci avait besoin de son concours.

Ainsi, m'écrivit-il, il avait retrouvé confiance en lui et était sorti plus fort du conflit. Sa propre expérience lui avait enseigné qu'un individu conscient et libre de son choix a la possibilité et la force d'opter en faveur de l'harmonie et du succès, ceci n'étant qu'une question de bonne volonté, et cet objectif pouvant être atteint quels que soient les obstacles. Tout autre commentaire serait superflu. Cet homme cessa d'être l'esclave de ses sens et des circonstances extérieures.

Elle changea sa conviction

À diverses reprises, une jeune chanteuse avait essayé d'obtenir un engagement à la radio, à la télévision ou au cinéma. Elle avait une bonne formation et une belle voix. Néanmoins, elle échouait chaque fois; il lui était impossible d'obtenir un engagement. Il lui paraissait inutile de faire de nouvelles tentatives. Cependant elle sentait le danger qui la menaçait: celui d'être la victime d'un complexe d'infériorité. Elle vint me demander conseil. «Il y a beaucoup d'actrices et de chanteuses qui sont plus belles et plus attrayantes que moi, dit-elle, sans soute est-ce la raison pour laquelle je ne parviens pas à obtenir un contrat.»

Je lui répondis: «Il y a des lois spirituelles. L'une de ces lois veut que l'offre et la demande soient identiques; ce que vous cherchez vous cherche également. Conformément à cette même loi, la sagesse infinie de l'esprit vous indiquera la place qui vous est destinée.»

Elle me comprit sur-le-champ et se rendit compte qu'elle devait modifier sa conviction. Elle devait s'affranchir du préjugé, profondément ancré dans son esprit, selon lequel, de toute façon, elle allait échouer, et acquérir la conviction qu'elle serait appréciée dans l'emploi convenant à sa personnalité. Elle reprit espoir et acquit la conviction qu'elle parviendrait à réaliser dans sa vie ce qu'elle désirait et reconnaissait comme vrai.

Elle s'efforça de conformer sa vie à cette conviction. Deux fois par jour, elle se libéra de toutes ses occupations quotidiennes pour s'adonner à une détente complète du corps et de l'esprit. Elle y parvint en se recueillant et en souhaitant se détendre physiquement et intellectuellement. Dans cet état de calme intérieur et de réceptivité accrue, elle concentra toute son attention sur l'idée d'un contrat, qu'elle tenait dans sa main, avec un producteur de films. Elle voyait ce contrat et ressentait la joie tangible de posséder ce contrat. Intellectuellement et affectivement, elle s'identifiait en quelque sorte au contrat avec une telle intensité que celui-ci devenait nécessairement une réalité.

Effectivement, il le devint. Une semaine après avoir acquis cette nouvelle conviction, la jeune fille signa un contrat pour un rôle de premier plan dans une série télévisée.

Elle s'était identifiée à l'image du désir qui lui tenait le plus à coeur. En modifiant sa conviction, elle avait modifié le statut de sa foi. Et il lui advint selon sa foi. *...Et qui appelle ce qui n'est pas comme étant (déjà)* (Rom. 4:17).

Sa foi lui rendit la santé

Il y a plusieurs années, alors que je donnais une série de conférences à Bombay, j'eus un entretien avec un Anglais à qui les jambes causaient de graves soucis et qui avait été obligé de garder la chambre pendant neuf mois; il ne se déplaçait qu'à grand-peine à l'aide d'une canne. Je lui demandai quelle serait son occupation préférée, s'il était guéri. «Je jouerais au polo et au golf, je nagerais comme auparavant. Et je ferais, comme chaque année, des ascensions dans les Alpes.»

C'était sur cette base que je pouvais intervenir. Je lui expliquai aussi simplement que possible comment il devait s'y prendre pour recouvrer l'usage de ses jambes. Je lui conseillai, pour commencer, de se représenter dans l'exercice d'activités dont il avait l'habitude et le goût. Je lui proposai de s'installer chaque jour, pendant quinze ou vingt minutes, dans son cabinet de travail et de se représenter jouant au polo. Il devait se placer, par un acte conscient, dans l'état d'esprit d'un joueur de polo. En d'autres termes, il devait assumer un rôle comme un acteur et participer au jeu de la même façon.

Il suivit minutieusement mes conseils. En se recueillant ainsi, il se sentait jouer au polo. Il actualisait le rôle qu'il avait assumé, et ce qu'il éprouvait en le jouant, en vivant ce spectacle dans son esprit. Il l'éprouvait d'une manière si authentique qu'il ressentait littéralement le coup porté avec le maillet contre la balle et les mouvements du cheval.

Chaque soir, il se détendait intellectuellement et physiquement en position allongée. Il se représentait escaladant une paroi rocheuse des Alpes qu'il connaissait bien. Il avait la sensation de porter son équipement de grimpeur et de tenir la corde dans sa main. Il entendait les voix de ses compagnons, il sentait le vent âpre des hauteurs enneigées sur son visage et la roche dure sous sa main.

Avant de s'endormir, il jouait régulièrement au golf. Dans son imagination, il prenait la balle de caoutchouc durci et la plaçait sur le gazon, brandissait son club, frappait la balle et en suivait la trajectoire avec attention, Il goûtait le plaisir d'être un bon joueur. Et quand il s'endormait, il se sentait heureux et satisfait des joies que la pratique des sports, au cours de la journée écoulée, lui avait procurées.

En l'espace de deux mois, il recouvra entièrement l'usage de ses jambes. Cet homme était guéri et capable de faire tout ce à quoi il s'était entraîné dans son imagination. Peu à peu, irrésistiblement, les représentations de son imagination s'était imposées aux couches profondes de son esprit, en dessous du seuil de la conscience claire. Les forces qui lui apportèrent la guérison sommeillaient dans son subconscient, dont partit l'impulsion qui lui permit de réaliser ce qu'il vivait en imagination. Le subconscient de cet homme avait fidèlement exécuté ce qui lui avait été indiqué.

Vous deviendrez ce que vous croyez être

Aussi invraisemblable que cela paraisse, vous êtes vraiment invisible. Est-ce qu'un tiers voit quelque chose de ce qui fait votre personnalité? Voit-il vos mobiles, vos convictions, votre foi? Ou bien vos sentiments, vos désirs, vos aspirations, vos rêves, vos espoirs, le principe vital qui agit en vous? De tout cela, on ne voit rien. Vous êtes invisible. Si vous en prenez conscience, vous comprendrez que vous êtes invulnérable, invincible et immortel. Vous n'êtes ni l'esclave des conditions données ni la victime de circonstances contraignantes. La vie divine fait partie de votre vie, elle agit en vous. Et, inversement, vous participez à la vie divine, vous vivez et agissez en elle.

Tout ce qui se déroule dans votre univers — l'univers intérieur et celui qui vous environne — est une manifestation de votre foi en l'invisible. La présence toute-puissante de l'invisible — de Dieu —

est accessible à vos pensées et à vos sentiments. Si, par exemple, pénétré de la foi en la vérité de vos paroles, vous dites: «Je suis fort et en bonne santé», vous deviendrez fort et serez en bonne santé. Vous deviendrez ce que vous croyez être. Vous manifestez dans votre univers et réalisez dans votre vie ce que vous croyez et tenez pour vrai à propos de vous-même. *Comme le corps sans l'âme est mort, de même la foi sans les oeuvres est-elle morte* (Jacques 2:26).

En d'autres termes, vous reconnaîtrez les oeuvres de votre foi à votre esprit, à votre corps et à tout ce que vous désirerez obtenir. Les oeuvres de votre foi se manifesteront dans votre vie professionnelle et dans vos affaires, dans votre famille et dans toutes vos entreprises, et même dans le fonctionnement de votre corps. Les fruits de la foi, ce sont la santé et le bonheur, la bonne volonté, la paix et l'amour, la sécurité et la prospérité, le calme intérieur, la gaieté et l'harmonie.

Elle croyait à la sagesse infinie

Une jeune femme ne savait quelle décision prendre. Devait-elle accepter un nouvel emploi à New York, où elle serait beaucoup mieux payée, ou conserver son emploi actuel à Los Angeles? Cette question ne lui laissait pas de repos. Tout d'abord, il lui fallait — elle s'en rendait bien compte — se détendre intellectuellement. Puis elle se demanda: «Comment réagirais-je si je prenais maintenant la bonne décision? Je bondirais de joie, je serais heureuse d'avoir pris la bonne décision.»

Une voix en elle lui dit: «Agis comme si j'étais, et alors je serai.»

Aussi agit-elle comme si elle avait pris la bonne décision, et cela sans savoir quelle serait cette décision. Mais elle savait que le principe créateur de l'amour, qui agissait en elle, ne l'abandonnerait pas, et qu'il connaissait la bonne décision. Pénétrée de cette confiance, elle se dit: «C'est merveilleux, c'est tout simplement merveilleux!» Elle ne cessa de se répéter ces mots, qui devinrent pour elle une sorte de berceuse. Elle s'endormit avec le sentiment que c'était merveilleux.

Cette nuit-là, elle fit un rêve. Elle entendit une voix qui lui disait distinctement: «Reste ici! Reste ici!» Elle s'éveilla aussitôt, consciente d'avoir entendu son moi profond s'exprimer par cette voix.

Inconsciemment, elle était fixée. Son subconscient avait pris une décision sage. Elle resta dans la position qu'elle occupait. Plus tard, elle put se rendre compte qu'elle avait pris la bonne décision. L'entreprise new-yorkaise fit faillite. *...C'est en vision que je me révèle à lui, c'est dans un songe que je lui parle* (Nombres 12:6).

RÉSUMÉ

1. La foi est une attitude de l'esprit exerçant une influence déterminante.

2. Le problème n'est pas votre manque de foi. Mais il convient de donner à cette foi la direction adéquate et de la mettre en oeuvre d'une manière constructive. Tablez sur la santé et sur le succès, sur le bonheur et sur la paix intérieure.

3. Nous croyons tous à quelque chose. À quoi croyez-vous? La vraie foi se fonde sur des principes éternellement valables et sur des valeurs immuables de la vie.

4. La foi est invisible et témoigne résolument de choses impossibles à voir. Pour vous rendre compte de la force que doit avoir la foi des savants, considérez qu'ils croient à la possibilité de réaliser une idée n'existant d'abord que dans leur esprit.

5. Personne ne peut voir votre esprit, vos sentiments, votre vie. Vous non plus. Vous ne pouvez pas davantage voir votre foi. Mais vous pouvez vous ancrer dans la force invisible qui a son siège en vous, force essentielle, toute-puissante et éternelle.

6. Modifiez vos croyances. Ne croyez plus à l'échec ni à l'insuccès. Soyez convaincu de pouvoir triompher des obstacles, d'être apprécié à votre juste valeur et de réussir votre vie.

7. Croyez à la force curative qui réside en vous. Imaginez-vous intensément que vous êtes justement en train de faire ce que vous voudriez faire, et faites-le en pensée; les déficiences physiques se résorberont, vous recouvrerez la santé.

8. Votre foi est votre bien spirituel. La toute-puissance de Dieu agit dans les couches profondes de votre esprit. Elle est accessible à vos

pensées et à vos sentiments. Aussi êtes-vous en mesure de venir à bout de toutes les situations et de triompher de l'adversité.

9. Agissez en pensée et sentez comme vous agiriez et sentiriez si vos prières avaient été exaucées. Vous constaterez alors que le pouvoir miraculeux de la foi peut accomplir des miracles dans votre propre vie.

CHAPITRE 3

La loi miraculeuse de la guérison

Une seule force a le pouvoir de guérir. On lui connaît bien des noms, tous attribués par les hommes: Dieu ou l'amour divin, le pouvoir infini de guérir, la divine providence ou simplement la nature, la vie, le principe vital — il existe encore bien d'autres noms, anciens et nouveaux. Mais la certitude que cette vertu curative existe remonte aux temps obscurs de la préhistoire. Des inscriptions extrêmement anciennes le proclament dans des temples: «C'est le médecin qui panse la plaie, et c'est Dieu qui guérit.»

La présence curative de Dieu est en vous. Psychologues, ecclésiastiques, médecins, chirurgiens et psychiatres n'ont pas le pouvoir de guérir. Le chirurgien opère la tumeur, éliminant ainsi l'obstacle pour que le patient puisse être guéri par Dieu. Le psychologue ou le psychiatre s'applique à éliminer les conflits psychiques et incite le patient à adopter une autre attitude, pour que Dieu puisse effectuer la guérison et donner au patient la paix intérieure, l'harmonie spirituelle et la santé physique. L'ecclésiastique vous met en mesure de pardonner aux autres et à vous-même, et de vous ouvrir, en harmonie avec l'infini, à l'action curative de la paix, de l'amour et de la bonne volonté jusque dans les profondeurs de votre inconscient qui est ainsi purifié de toute motivation négative.

Ce pouvoir omniprésent de guérir, que Jésus-Christ a appelé le «Père», s'applique à toutes les maladies physiques et mentales, ainsi qu'à tout ce qui affecte les sentiments.

Ce pouvoir curatif miraculeux qui réside dans votre subconscient est en mesure, s'il est guidé selon des principes scientifiques, de guérir votre esprit, d'apporter la guérison à votre corps et de remettre en ordre tout ce qui vous concerne, quelles que soient les causes de ces perturbations ou de ces obstacles. Ce pouvoir de guérir existe pour tous les hommes, sans distinction de race, de couleur ni de confession. Il n'avantage ni ne désavantage personne.

Depuis votre enfance, vous avez vous-même été guéri à maintes reprises. Sans doute vous souvenez-vous combien de coupures, brûlures, foulures, contusions, écorchures et bien d'autres maux ont été guéris grâce à cette vertu curative, en règle générale — comme chez l'auteur du présent livre — sans que vous ayez influé sur le processus de guérison en utilisant des médicaments.

Guéri par des «voix spectrales»

Il y a quelques années, un étudiant de notre université vint me voir. Ce qu'il avait à me dire sortait de l'ordinaire. Il se plaignait d'être poursuivi sans cesse par des voix spectrales. Ces voix le pressaient de commettre des actions basses et le retenaient de faire le bien. Il ne parvenait plus à lire ni la Bible, ni quelque autre livre édifiant ou difficile. Où qu'il fût et quoi qu'il fît, il se sentait sans cesse persécuté par ces voix. Il était convaincu qu'elles appartenaient à des êtres surnaturels.

Ce jeune homme avait visiblement le don de télépathie. Mais il ignorait que, jusqu'à un certain degré et naturellement d'une manière variable selon les individus, chaque personne possède ce don. Aussi croyait-il reconnaître dans ces voix des esprits mauvais, les esprits de trépassés incapables de trouver le repos. Du fait de son inquiétude permanente, cette conviction devint pour lui une idée fixe. Sous l'effet contraignant d'une suggestion aussi fausse que forte, son subconscient peu à peu le domina complètement: il n'était plus capable de penser raisonnablement. Il constituait l'exemple classique d'un individu ayant perdu son équilibre mental. Il subissait le sort de tous ceux qui se laissent aller à des superstitions et finissent par tomber entièrement sous leur dépendance.

J'expliquai à cet étudiant que le subconscient et la vie spirituelle se déroulant au-delà du seuil de la conscience revêtent une importance décisive pour la personnalité et l'orientation de la vie. Le subconscient pouvant être influencé positivement ou négativement, je lui dis qu'il devait avant tout faire en sorte que son subonscient soit exposé uniquement à des infleuences positives et constructives, tendant à l'harmonie intérieure. Le subconscient dispose de forces ayant un dynamisme fantastique, mais il est soumis à toutes les suggestions, positives ou négatives, qui lui sont transmises. Cette explication impressionna fortement le jeune homme.

Je rédigeai à son usage une prière ayant effet de suggestion. Il devait la répéter trois ou quatre fois par jour et se recueillir pendant dix ou quinze minutes pour lui permettre d'agir. En voici le texte:

«Je suis empli de l'amour et de la sagesse de Dieu, la paix et l'harmonie résident en mon coeur et en mon esprit. J'aime la vérité, j'entends la vérité, je connais la vérité. Il est vrai que Dieu est amour et que l'amour de Dieu m'environne, me protège et me porte. La paix divine baigne mon esprit. Je rends grâce à la liberté qui m'est donnée.»

Il devait prononcer cette prière lentement, calmement, avec ferveur et respect, ce qu'il fit. Sa prière avait une importance particulière le soir, quand il était sur le point de s'endormir.

En orientant sa vie intérieure sur la paix spirituelle et l'harmonie, et en s'identifiant à elles, il réorganisa sa pensée et son imagination. La guérison mentale en fut la suite naturelle. Il dut son rétablissement à la répétition de ces vérités à la fois si simples et si merveilleuses, qu'il exprimait avec une confiance sans réserve dans sa prière.

De mon côté, je priai pour lui matin et soir: «H.K. pense juste. Il réfléchit à la sagesse et à la circonspection divines qui le guident dans tous ses actes. Son esprit participe de la perfection spirituelle de Dieu, immuable et éternelle. Il entend la voix de Dieu, c'est la voix intérieure de la paix et de l'amour. La paix divine le baigne et porte son esprit; il est plein de compréhension et de sagesse, il a trouvé l'équilibre spirituel. Tout ce qui l'oppressait l'abandonne maintenant, et je lui souhaite paix et liberté.»

Je méditai sur ces vérités matin et soir, et j'obtins un «sentiment» de paix et d'harmonie. Le jeune homme finit par se débarrasser des esprits qui le tourmentaient. Les prières lui avaient apporté la paix.

Elle avait perdu l'espoir de sauver son enfant

Il n'y a pas très longtemps, une femme désespérée me dit que sa fillette avait une très forte fièvre. Elle risquait de ne pas survivre à sa maladie. Le médecin traitant avait prescrit de légères doses d'aspirine et un antibiotique. La mère paraissait complètement bouleversée. Comme elle envisageait, par surcroît, de divorcer, sa vie affective était troublée. Son déséquilibre spirituel et affectif s'était transmis à son enfant sans qu'elle s'en rendît compte. Il était compréhensible et même naturel que, dans ces circonstances, l'enfant tombât malade.

Les enfants sont livrés sans défense à leurs parents et subissent l'influence de leur entourage. L'atmosphère spirituelle et le climat affectif de leur entourage les influencent. Avant d'avoir atteint l'âge de «raison», l'enfant est hors d'état de diriger ses pensées, ses sentiments et ses rapports avec son entourage.

La mère comprit qu'elle devait se soustraire à ces tensions et recouvrer la paix intérieure. Je lui recommandai de lire le psaume 23, celui qui chante les louanges du bon pasteur qu'est le Seigneur. Cette prière devait la ramener sur la voie de la paix et de l'entente avec son mari. Sa bonne volonté, son amour pour lui, l'amenèrent à surpasser l'irritation qui s'était accumulée en elle, et elle se libéra peu à peu de tout sentiment de refus et de reproche. La fièvre de l'enfant — j'en ai la conviction — tenait essentiellement à l'irritation refoulée de sa mère et au chagrin profond que lui causait son désaccord avec son mari. Tout ceci s'était inconsciemment répercuté sur l'enfant. La fillette éprouvait les mêmes sentiments que sa mère. La forte fièvre manifestait la perturbation profonde qui s'était produite dans la vie affective de l'enfant.

La mère ayant retrouvé la paix de l'âme, elle se concentra sur la prière pour son enfant dangereusement malade. Elle pria de la manière suivante:

«La vie de mon enfant est esprit qui est esprit de Dieu. Son esprit n'est jamais malade et n'a jamais la fièvre. La paix divine baigne l'esprit et le corps de mon enfant. La santé et l'amour, l'harmonie et la perfection de Dieu vont maintenant se manifester par le corps de mon enfant, dans chaque fibre, dans chaque atome. Ma fillette est détendue, physiquement et spirituellement équilibrée; mon enfant est calme et gaie. J'invoque l'esprit divin qui réside en mon enfant, et tout est bien.»

Cette femme pria ainsi toute la journé, d'heure en heure. Dès le lendemain, elle constata un changement surprenant: au réveil, l'enfant demanda sa poupée et voulut manger. La température avait baissé, la fillette se trouvait à nouveau dans un état normal. Qu'était-il arrivé? Pourquoi l'enfant n'avait-elle soudain plus de fièvre? La guérison rapide de la fillette ne coïncidait-elle pas visiblement avec la transformation intérieure de la mère?

La mère s'était affranchie de sa tension fébrile et de sa surexcitation intellectuelle et affective. L'enfant avait instantanément ressenti la paix du coeur et le calme spirituel gonflé d'amour auxquels sa mère était parvenue. Le corps de l'enfant avait réagi en conséquence.

L'homme a le pouvoir inné de guérir

Nous avons tous le pouvoir inné de guérir, car la puissance curative de Dieu est en nous. Nous pouvons l'invoquer par la pensée et l'atteindre par la foi. Elle est omniprésente et anime tout ce qui vit.

Certaines personnes ont réussi par leur foi à guérir le cancer dont elles souffraient. D'autres se sont affranchies d'affections mentales tenues pour incurables, d'une méchanceté ayant pris la forme d'une obsession par exemple. La vertu curative divine peut guérir sans peine une tuberculose pulmonaire, ou encore la coupure sanglante que vous vous êtes faite au doigt avec un couteau. Pour Dieu, il n'y a ni grand ni petit. Pour notre Créateur tout-puissant, rien n'est difficile ou facile. Or, de cette toute-puissance, une part se trouve en chaque homme. Les prières d'un homme imposant les mains sur un malade pour le guérir n'ont d'autre objectif que la coopération du patient. Elles constituent un appel à l'inconscient du malade pour qu'il coopère à la guérison. Peu importe que le patient ainsi traité coopère consciemment ou non, qu'il attribue sa guérison à son intervention divine ou non. En tout cas, l'effet se produit. Dieu exauce nos prières. Et il est donné au malade selon sa foi.

Il éprouvait de la haine pour son frère

Un homme que je connaissais depuis fort longtemps, et qui vivait à New York, souffrait de crises de paralysie accompagnées d'un fort tremblement. Parfois, les jambes lui manquaient au point qu'il ne pouvait plus se déplacer. Des incidents de ce genre lui causaient chaque fois une terreur panique. Il lui arrivait de s'arrêter en plein milieu d'une rue très fréquentée, comme cloué sur place, sans pouvoir avancer. Des antispasmodiques et calmants prescrits par son médecin lui procuraient un certain soulagement, mais il continuait à vivre dans la crainte perpétuelle d'une rechute, et le moindre symptôme lui faisait perdre toute contenance. Cela le minait complètement.

Tout d'abord, le malade devait prendre conscience que la vertu curative résidant en lui était la source de toute vie et donc de toute guérison. Je lui conseillai de lire, dans l'Évangile selon saint Luc, les versets 18 à 24 du chapitre 5 et le passage correspondant de l'Évangile selon saint Marc (2:3-5). Ces passages traitent entre autres de la guérison du paralytique. Jésus lui dit: *Homme, tes péchés sont remis... je te l'ordonne, lève-toi, prends ton grabat et va-t-en chez toi.*

Il lut ces deux passages et en fut profondément bouleversé. Je lui conseillai de voir dans le «grabat» de la Bible le «lit» spirituel de l'homme: comme on fait son lit, on se couche. Le paralytique de la Bible, étendu sur son grabat, était certainement tourmenté par la peur, les doutes et la superstition; il souffrait de la conscience de ses fautes et de la conviction d'avoir été puni par la maladie. Des pensées de cette nature, qu'elles soient conscientes ou refoulées dans l'inconscient, paralysent l'esprit et le corps.

Comme nous l'apprend la Bible, Jésus a guéri le paralytique en lui pardonnant ses péchés. Or, pécher, c'est toujours passer à côté du sens de la vie, quitter la voie de la santé, du bonheur humain et de la paix intérieure. Tout homme souffre des péchés qu'il a commis. Il n'est pas simple de se les pardonner. La meilleure façon d'y parvenir, c'est d'en faire votre idéal et de vous identifier peu à peu à lui sur les plans intellectuel et affectif. Avec le temps, cet objectif prendra corps en vous sous forme d'une conviction ou d'une représentation subjective.

Vous péchez également quand votre pensée est destructive, quand vous vous irritez, quand vous éprouvez de la haine, quand vous condamnez ou quand vous vous laissez aller à la peur et au chagrin. Vous péchez toujours quand vous abandonnez sciemment la bonne voie d'une vie active et bien remplie, laquelle ne peut trouver son accomplissement que dans la paix et l'harmonie, la santé physique et intellectuelle, la compréhension et la sagesse.

Cet homme m'avoua que, depuis de nombreuses années, il éprouvait une haine implacable envers l'un de ses frères, qui lui avait jadis causé du tort dans une affaire financière importante pour tous les deux. Cette haine suscitait en lui un sentiment profond de culpabilité, et il se condamnait lui-même. Il ressentait sa maladie comme un châtiment et l'avait acceptée en tant que tel. Puis, tel le paralytique de la Bible, il se rendit compte qu'il ne pouvait guérir avant d'avoir pardonné à son frère et à lui-même et de s'être ainsi libéré de tout sentiment de culpabilité. Il prit conscience du fait que son mal physique constituait bien un problème, mais qu'il ne devait pas nécessairement en souffrir.

Il invoqua la présence curative de Dieu en lui-même et pria, plein de confiance:

«J'ai abrité en moi des pensées négatives et destructives; je m'affranchis de ces pensées et de ma faute. Je suis dérormais résolu à m'y refuser et à garder mon esprit pur. Je confie mon frère à la garde de Dieu. Où qu'il soit, quoi qu'il fasse, je lui souhaite sincèrement santé, bonheur et bénédiction divine. Je suis maintenant en harmonie avec le pouvoir infini de guérir qui réside en moi, et je ressens l'amour divin dans chaque atome de mon être. Je sais que l'amour de Dieu pénètre maintenant tout mon corps et l'emplit, que l'amour de Dieu me rendra la santé. C'est là mon entière conviction, je le sens, et je vis en paix avec moi-même et avec mon entourage. Mon corps est un temple du Dieu vivant; Dieu habite dans son saint temple. Et je suis libre.»

Il médita régulièrement ces vérités. De la sorte, il fut ramené peu à peu à l'état naturel de santé physique et intellectuelle, mais aussi de profonde harmonie. Parallèlement au changement de son attitude spirituelle, la guérison de son infirmité physique fit des progrès. Le comportement intérieur change tout. Aujourd'hui, cet homme marche aussi bien que n'importe qui. Il est gai, le malade de naguère est entièrement rétabli.

Il n'avait pas «la main heureuse»

Un jeune homme en colère vint me voir. Il avait un motif particulier de s'entretenir avec moi. Son patron l'avait mis à la porte dans ces termes: «Vous êtes comme l'homme de la Bible, votre main est desséchée.»

Indigné, il me demanda ce que cela voulait dire. «Mes mains ne sont-elles pas absolument normales?» Je lui donnai l'explication suivante: «Si l'on veut interpréter correctement la Bible, il faut savoir que les vérités y sont toujours exposées sous forme d'exemples, de paraboles, afin qu'elles soient concrètes, qu'elles concordent avec la vie et qu'elles emportent la conviction de chacun. Aussi ne faut-il pas entendre au sens littéral la parabole de l'homme à la main desséchée.

La main est un symbole de puissance et de force, d'action, de direction et de commandement. C'est avec votre main que vous dessinez, que vous formez, que vous modelez et que vous façonnez. C'est de la main que vous indiquez la direction. Vous faites un signe de la main pour donner un ordre. Au sens figuré, l'homme représenté symboliquement par celui dont la main est desséchée est l'homme qui souffre d'un complexe d'infériorité, qui se sent coupable, inférieur et indigne — le défaitiste. Il échoue dans toutes ses entreprises, et s'avère incapable d'aider à se révéler au grand jour la force divine qui réside en lui.»

Le jeune homme avait écouté mon explication avec intérêt. Il concéda ensuite que ses rêves et ses ambitions, ses idéaux et ses projets, le sens même de la vie avaient dépéri, comme pétrifiés dans son esprit, parce qu'il ne savait pas comment les réaliser. Il ne connaissait pas les lois de l'esprit et ne savait pas prier. Ses idées, aussi nobles, aussi belles, aussi réalisables fussent-elles, restaient des manifestations mort-nées dans son esprit. Elles semblaient tout au plus aptes à lui laisser le sentiment que sa vie ne trouvait pas son accomplissement, avec les névroses qui en résultaient. En fait, sa vie affective avait subi de graves dommages. Son âme et son esprit étaient immobilisés. Cet homme était littéralement sur le point de mourir de faim sur le plan spirituel. Toutes ses entreprises l'incitaient à se sous-estimer et à se mépriser. Son attitude à l'égard de la vie était fondamentalement fausse. Il concéda aussi qu'il n'appréciait pas son travail et que tout ce qu'il faisait laissait à désirer.

Sa main — son aptitude à faire, à réaliser quelque chose — semblait effectivement avoir dépéri. Mais pourquoi? Comment en était-il arrivé là? Trop souvent, ce jeune homme s'était dit: «Ah! si j'avais la tête de celui-ci... ou la richesse de celui-là... ses relations...! Alors, moi aussi, je pourrais aller de l'avant, être quelqu'un. Mais que suis-je? Personne, zéro, rien! Je ne suis pas né pour avoir ma place au soleil. Je peux tout juste être satisfait de mon sort. Je m'y prends toujours mal, je n'ai pas la main heureuse.»

On ne saurait trop souligner combien ce jeune homme courroucé changea lorsqu'il se décida, en dépit de toutes les circonstances défavorables, à tendre franchement la main et à se servir d'elle dans la vie. Pour y réussir, il dut d'abord élargir son champ de vision intellectuel et apprendre à s'apprécier à sa juste valeur. Il s'imagina ce qu'il désirait obtenir. Son rêve était, en définitive, de diriger avec succès une grande entreprise. Il se représenta ce rêve aussi souvent que possible et fit en même temps la prière suivante: «Je peux tout avec l'aide et la toute-puissance de Dieu, qui me donne la force, me conduit, me dirige et me protège. Je sens que je suis en voie de réaliser mon rêve. J'invoque maintenant, plein de foi et de confiance, la sagesse infinie qui réside en moi et m'y abandonne entièrement. Je sais dans mon coeur que la force divine baigne mon esprit et emplit toutes mes pensées et toutes mes représentations. Je suis sur la voie du succès sous la conduite contraignante de Dieu.»

Dès qu'il fut en mesure de s'identifier à cette nouvelle conception de lui-même, les premiers succès ne se firent pas attendre. Il franchit rapidement l'un après l'autre tous les échelons de sa carrière. Aujourd'hui, il est directeur général d'un grand trust et l'un des managers les mieux payés d'Amérique.

Guéri d'une maladie sans espoir

Jésus dit au défunt: *Jeune homme, je te l'ordonne, lève-toi! Et le mort se dressa sur son séant et se mit à parler* (Luc 7:14-15).

S'il est dit dans la Bible que le mort se dressa et se mit à parler, cela signifie pour vous ceci: dès que votre prière est exaucée, vous parlez une langue tout à fait nouvelle; votre langue déborde d'aisance et de gaieté, vous rayonnez de joie et d'assurance intérieures. Vos espoirs et vos désirs mort-nés ressusciteront et témoigneront en votre faveur dès que les conditions intérieures seront remplies.

À ce sujet, je voudrais rapporter le cas d'un jeune homme, un parent éloigné habitant l'Irlande, que j'ai rencontré il y a quelques années et qui était atteint d'une maladie dangereuse. Il se trouvait dans le coma. Il souffrait d'une insuffisance des reins; ceux-ci ne fonctionnaient plus depuis trois jours. Les médecins le considéraient comme perdu, lorsque j'arrivai à son chevet en compagnie de l'un de ses frères. Je le savais catholique et profondément croyant, et lui dis: «Jésus est auprès de toi, tu le vois. Il étend les mains vers toi et, en ce moment, les impose sur toi.»

Je répétai plusieurs fois ces paroles, lentement, avec ferveur et d'un ton pénétrant. Il n'était pas conscient et ne percevait pas notre présence. Mais ensuite, il se dressa sur son lit, ouvrit les yeux et nous dit: «Jésus est venu. Je sais que je suis guéri. Je vivrai.»

Que s'était-il passé? Dans son subconscient, cet homme avait enregistré mes paroles. Son subconscient s'était emparé de cette idée et en avait fait une réalité. L'idée que cet homme se faisait de Jésus-Christ étant fortement influencée par les tableaux qu'il avait vus dans des églises et par des oeuvres de caractère religieux, il ne lui paraissait pas surprenant de croire que Jésus était apparu en chair et en os devant son lit et avait imposé les mains sur lui.

Les lecteurs de *La puissance de votre subconscient* se souviennent sans doute du passage illustrant la possibilité de suggérer à un individu en transe que son grand-père se trouve près de lui et qu'il peut le voir distinctement. Il le voit, plus exactement, il voit quelqu'un qu'il tient pour son grand-père, car son subconscient lui dévoile l'image de son grand-père telle qu'elle était restée dans son souvenir inconscient. Vous pouvez aussi donner à une personne en état de transe une suggestion post-hypnotique en lui disant: «Quand tu sortiras de l'état de transe, tu salueras ton grand-père et tu lui parleras!» Cette personne le fera exactement. C'est alors un cas d'hallucination subjective.

Mes paroles avaient trouvé créance dans le subconscient de ce garçon profondément pieux. Cette foi reposait sur la ferme conviction que Jésus allait guérir le malade. C'est là le facteur de guérison. Il nous est donné toujours selon notre foi, que cette foi se soit figée en conviction intellectuelle ou qu'elle repose sur une confiance aveugle. Le subconscient de mon parent avait reçu ma suggestion. Dans le secteur spirituel situé en deçà du seuil de la conscience, il avait accepté l'idée suggérée et en avait tiré les conséquences. Dans un tel cas, on peut parler dans une certaine mesure d'une résurrection d'entre les morts. Quoi qu'il en soit, mon parent se releva effectivement de son lit de malade pour retrouver la santé et la joie de vivre. Il lui avait été donné selon sa foi.

Foi authentique et foi aveugle

La foi authentique repose sur la connaissance du fonctionnement des deux sphères distinctes de l'esprit humain que nous nommons la conscience et le subconscient, ainsi que sur la connaissance des rapports harmonieux de réciprocité entre ces deux sphères, qui peuvent être commandés selon des procédés scientifiques. Une guérison fondée sur une telle foi ne relève en rien du hasard ni du miracle, elle n'en reste pas moins merveilleuse. Cependant, une foi aveugle peut aussi apporter la guérison. Il s'agit là d'une foi dépourvue de toute intelligence scientifique des forces en jeu. Le docteur chez les adeptes du vaudou, le guérisseur des peuples primitifs vivant dans la brousse africaine obtiennent eux aussi des succès sur des sujets physiquement ou mentalement malades, par le moyen de la foi et le même pouvoir de guérison paraît aussi résider dans des ossements de chiens (vénérés par les adeptes de certains cultes comme s'il s'agissait de reliques de saints) ou dans divers autres objets. Dans tous ces cas, il s'agit naturellement d'objets n'ayant en eux-mêmes aucun pouvoir curatif; ce sont de purs accessoires utilisés par des humains ayant la foi.

La technique, le *modus operandi*, le rite, le cérémonial (invocation de saints ou conjuration d'esprits) ne jouent aucun rôle; les succès obtenus en matière de guérison sont toujours le fait du subconscient. Vos pensées et croyances se gravent dans votre subconscient et libèrent les forces agissantes.

Essayez de vous comporter comme ce garçon, âgé de huit ans à peine, qui fréquentait nos cours du dimanche. Il souffrait d'une infection des yeux. Les gouttes prescrites par le médecin n'avaient aucun effet. Il fut donc contraint de se soigner lui-même en priant Dieu: «Mon Dieu, tu m'as donné les yeux. Il faut que quelque chose arrive. Je t'en prie, guéris-les maintenant. Guéris-les vite, je t'en prie. Et merci.»

Cette spontanéité, cette simplicité de la confiance enfantine en Dieu n'est-elle pas touchante? Et qui plus est, ses yeux ont guéri rapidement. *...va, et toi aussi, fais de même* (Luc 10:37).

Comment vous soigner vous-même par l'esprit

Vous soigner vous-même par l'esprit, c'est vous tourner vers Dieu qui habite en vous, vous souvenir de la paix qu'il diffuse, de sa parfaite harmonie, de sa beauté, de sa bonté, de son amour infini et de sa toute-puissance. Il vous faut prendre conscience et savoir que

Dieu vous aime et veille sur vous. Si vous invoquez Dieu avec confiance, vous serez bientôt libéré de toute crainte. Si votre coeur et son fonctionnement vous causent des soucis et sont l'objet de votre prière, il ne faut pas fixer votre pensée sur votre déficience organique. De telles pensées ne sont qu'un obstacle à la guérison. Vos pensées sont des réalités de votre univers spirituel, des réalités exerçant une action sur la matière. Ce que vous pensez agit sur votre corps, sur vos cellules et sur vos tissus, sur votre système nerveux et sur vos organes. Si vous méditez sur la lésion de votre coeur ou sur votre hypertension, vous ouvrez la voie à une aggravation de votre état. Cessez de vous creuser la tête à propos de symptômes présumés ou effectivement constatés et de vous méfier de vos organes ou de votre santé corporelle en général. Même si vous avez une infirmité, ce n'est pas là la bonne méthode pour guérir. Invoquez plutôt Dieu et tâchez de vous en remettre entièrement à son amour. Il vous faut sentir et savoir que seul existe ce pouvoir omniprésent de guérir, et que rien ne peut résister à la toute-puissance de Dieu.

Représentez-vous sans cesse que le pouvoir édifiant et fortifiant de guérir dont Dieu dispose pénètre jusque dans le dernier recoin de votre conviction et atteint la dernière fibre de votre corps, vous rendant ainsi la santé. Prenez conscience et sentez que l'harmonie de la vie divine se manifeste par vous et vous rend santé, vitalité, paix intérieure et comportement adéquat. Efforcez-vous de vous en convaincre et de fortifier cette conviction en l'assimilant entièrement, et votre déficience cardiaque (ou toute autre maladie organique) guérira à la lumière magnifique de l'amour divin. ...*Glorifiez donc Dieu dans votre corps* (1re Épître aux Corinthiens 6:20).

Comment faire face dans votre vie au mot «incurable»

Partout, on voit surgir ce mot — «incurable!» — qui sème la peur et l'angoisse. Affranchissez-vous de cette peur en essayant de vous rendre compte de ce qui s'oppose à ce mot effrayant. Vous êtes en corrélation constante avec cette intelligence supérieure du principe créateur qui vous a fait et habite toute créature. L'infini pouvoir de guérir de ce principe créateur est toujours et sans cesse actif pour vous — quoi que puissent penser ceux qui prétendent que tel ou tel cas est incurable — et agit pour vous par le truchement du dynamisme créateur de votre esprit. Tirez parti de cette force qui est la vôtre, maintenant, sur-le-champ, et réalisez des miracles dans votre existence. Un miracle — il convient de le rappeler à ce propos — n'est en rien la preuve de ce qui est impossible dans la vie; c'est au contraire la confirmation évidente de ce qui est possible en dépit de tous les doutes. Car... *pour Dieu tout est possible* (Mathieu 19:26). *Mais je vais rénover ta chair, guérir tes plaies... Ainsi parle Yahwé* (Jérémie 30:17).

Le terme de «Yahwé» dont use la Bible signifie «Dieu» ou «le principe créateur de l'esprit». C'est l'essence de tout pouvoir de guérir. Ce pouvoir est inhérent à l'univers entier, il baigne l'intérieur de votre vie spirituelle et réalise tout ce que vous pensez consciemment ou ressentez inconsciemment, ce que vous imaginez et ce que vous choisissez comme l'objet de vos désirs. Par la vertu de ce principe curatif infini, qui agit dans votre esprit et ne demande qu'à se réaliser, vous pouvez concrétiser tous vos désirs. Il vous suffit d'utiliser la force qui réside en vous. Vous pouvez en tirer parti à n'importe quelle fin. Elle n'est pas du tout réservée à la seule guérison physique ou mentale. Ce même principe universel vous permet de découvrir le partenaire idéal, de réussir votre carrière et de trouver l'endroit où vous pourrez laisser s'épanouir votre personnalité. Il vous révèle la solution des problèmes les plus difficiles.

Guéri de l'hydropisie

Je connaissais à Londres un homme pronfondément croyant qui paraissait mener à tous égards une vie bien équilibrée. Néanmoins, un problème le tourmentait intérieurement et lui causait de graves soucis. Il avait vu son père mourir d'hydropisie. Il en avait gardé une impression profonde. Un jour, il m'avoua que, depuis la mort de son père, il ne pouvait plus se libérer de l'idée qu'il mourrait de la même maladie. Il se souvenait avec effroi du traitement que son père avait dû subir. Le médecin «mettait en perce» la cavité abdominale de son père au moyen d'un «horrible instrument» et en retirait d'énormes quantités de sérosité. Cet homme ne pouvait l'oublier. Même quand il n'y pensait pas, l'angoisse lui restait, refoulée dans l'inconscient. Il souffrait d'une névrose d'angoisse. Là résidait, sans aucun doute, la cause de sa propre prédisposition à l'hydropisie.

Cet homme ne connaissait pas la vérité psychologique pourtant fort simple que le Dr Phineas Parkhurst Quimby de Belfast, Maine, précurseur de la médecine psychosomatique moderne, avait déjà imposée il y a plus d'un siècle. Ce que Dr Quimby disait et mettait en pratique peut se résumer ainsi: «Ce que vous croyez se réalisera, que vous vous représentiez consciemment le contenu de ce que vous croyez ou non»; (la «méthode de la preuve» appliquée par le Dr Quimby a été exposée de manière détaillée par l'auteur du présent ouvrage au chapitre VI de son livre *La puissance de votre subconscient*).

Mais pourquoi cette prédisposition à l'hydropisie chez mon ami londonien? À la lumière de la vérité psychologique à laquelle je viens de me référer, il n'est pas difficile de trouver l'explication. L'angoisse éprouvée par cet homme avait pris la forme d'une conviction. Il était convaincu qu'il serait victime de la même maladie que son père. Aussi fut-il fort étonné de m'entendre lui expliquer son cas à la lumière de ces simples faits. Il commença à comprendre qu'il avait pris pour vraie une pensée tout à fait arbitraire et fausse.

L'angoisse qu'il éprouvait venait tout simplement de ce qu'il avait pris le contre-pied de la vérité. La peur de tomber malade, si nous ne la laissons pas se développer en nous, n'a aucun pouvoir, car la maladie ne répond à aucun principe naturel. La maladie est en contradiction avec la nature et avec la vie voulue par Dieu. La maladie et la pauvreté, l'erreur et l'échec sont incompatibles avec le principe universel de la vie.

Cet homme fit siennes mes explications. Par bonheur, il avait une foi profonde en Dieu et s'en remettait à lui. Il savait fort bien aussi qu'il dépendait de lui-même de choisir le bien ou le mal. C'est pourquoi il comprit immédiatement qu'il pouvait utiliser dans un sens positif ou négatif la force spirituelle qui résidait en lui. Il se recueillit. Est-ce que l'esprit de Dieu, créateur de toute vie, n'était pas encore en lui? Et l'esprit de Dieu n'était-il pas aussi l'essence de toute force vitale, constructive et salutaire, n'était-il pas partie de son propre esprit? Et, par contre, sa maladie n'était-elle pas la conséquence d'une façon de penser maladive, erronée et négative? Il se libéra de sa fausse conviction et retrouva l'harmonie avec le plan divin de la vie, qui fixe les normes du comportement humain et trouve sa réalisation dans la santé et le bonheur, dans la paix intérieure et l'équilibre harmonieux.

Chaque soir avant de s'endormir, il se disait de tout coeur, profondément convaincu de l'exactitude de ses paroles: «Le pouvoir omniprésent de guérir agit maintenant en moi, il me conduit à la guérison; conformément à sa sagesse infinie et à sa nature divine, il régit tout ce qui se passe dans mon organisme et me rend un corps sain. Je me sens purifié, physiquement et spirituellement, et réconforté par la force vitale de Dieu. Dieu rayonne dans mon corps, dans mon esprit, et s'intègre à moi; il ne reste rien d'autre en moi. La joie du Seigneur est ma force constante. Je suis en bonne santé dans chaque fibre de mon être, et j'en remercie Dieu.»

Pendant près d'un mois, il pria chaque soir en ces termes. Finalement, il acquit par la prière la conviction d'être sain de corps et d'esprit. Effectivement il était guéri. Son médecin mit fin au traitement.

Étapes de la guérison

La première étape vers la guérison consiste à se libérer de la peur que suscitent des symptômes de maladie constatés ou supposés, et cela d'emblée. La seconde étape consiste à prendre conscience du fait qu'un mauvais état de santé résulte de pensées nocives, qui cessent d'agir dès qu'on s'en affranchit. La troisième étape consiste à glorifier et à fortifier le pouvoir de guérison miraculeux et divin dont on est porteur.

En procédant ainsi, vous mettez immédiatement fin aux effets de la pensée destructive, vous prenez le mal par la racine. Accomplissez ces étapes pour vous-même ou pour l'un de vos proches, pour lequel vous avez l'intention de prier. Efforcez-vous d'assimiler ce que vous souhaitez, et les fruits de vos pensées et sentiments apparaîtront bientôt. Refusez-vous à l'insuffisance des opinions humaines et au poison de la peur, par trop humaine, qui agit sur le corps et sur l'âme. Vivez dans la félicité et la conscience que Dieu veille en vous à votre bien-être physique et spirituel.

La cécité intellectuelle

Des millions d'hommes sont «aveugles». Ils sont dépourvus de connaissance psychologique et de perspicacité intellectuelle. Aussi ne sont-ils pas conscients de devenir ce qu'ils pensent tous les jours. Haine, jalousie, envie sont les causes de la cécité intellectuelle et spirituelle. Si le sujet de tels sentiments savait qu'il se fait du tort surtout à lui-même et s'expose au danger d'être sa propre victime, tout irait peut-être beaucoup mieux.

Des milliers d'hommes ne cessent de s'affirmer à eux-mêmes et de déclarer à des tiers qu'il n'y a pas de solution à leurs problèmes et que leur situation est désespérée. Une attitude aussi fausse est la conséquence de la cécité intellectuelle. L'individu reste prisonnier de cet état d'esprit tant qu'il n'a pas trouvé un nouveau rapport, un rapport de compréhension, avec son potentiel de force intellectuelle. C'est seulement quand nous prenons conscience de nos forces intellectuelles et spirituelles, et que nous les mettons en oeuvre, que nous dépassons notre cécité intellectuelle, c'est alors seulement que nous voyons vraiment. Nous savons alors que nous sommes en mesure de résoudre tous les problèmes et tous les conflits sous la sage direction des forces inconscientes qui agissent en nous.

Ne perdons pas de vue un instant qu'il existe un rapport d'interaction entre le conscient et le subconscient dans notre vie spirituelle. Nos pensées et nos désirs s'impriment sur les couches profondes de notre esprit, et la force dynamique propre à notre inconscient tend d'elle-même à réaliser tout ce qui est suggéré au subconscient et accepté par lui. Qui jusqu'ici n'a pas vu ces vérités ne doit pas nécessairement rester aveugle plus longtemps. Pour quiconque se recueille et vérifie ces vérités sur lui-même s'ouvrira une nouvelle vision intérieure, faite de santé, de prospérité, de bonheur humain et de paix intérieure. Il comprendra également que l'orientation adéquate de ses pensées, désirs et sentiments ainsi que l'application des lois régissant sa vie spirituelle permettent de réaliser une telle vision du beau et du bien dans sa vie.

Les facultés visuelles sont de nature spirituelle, éternelle et indestructible

Nous ne créons pas nos facultés visuelles, qu'elles soient physiques ou intellectuelles. Elles existent; plus précisément nous les mettons en oeuvre. Ce n'est pas avec l'oeil que nous voyons, c'est à travers l'oeil. La rétine, sensible à la lumière, stimulée physiquement par les ondes lumineuses émises par l'objet, perçoit une image.

Cette perception est transmise par le nerf optique au centre visuel du cerveau. Il faut en quelque sorte que la lumière provenant de l'extérieur rencontre dans le cerveau la lumière de nature intellectuelle pour que se produise, grâce à un processus intellectuel d'interprétation, ce que nous appelons le phénomène de la vue.

Considérez vos yeux comme des symboles de l'amour divin et de l'émerveillement devant les choses, possibles grâce à Dieu. Vos yeux symbolisent également votre soif de connaître la vérité divine. Considérez l'un de vos yeux comme le symbole de la pensée et de l'action justes, l'autre comme celui de l'amour et de la sagesse de Dieu. Ces symboles vous rappellent en même temps la dualité de votre vie spirituelle, sur le plan conscient d'une part, sur le plan inconscient d'autre part. Si vous gouvernez comme il convient l'ensemble de votre pensée — votre raison et votre imagination — et si vous rayonnez de bonne volonté à tous égards, vous avez bonne vue, vous vous concentrez sur l'essentiel et vous vous tournez vers la perfection.

Vois, ta foi t'a sauvé. Et à l'instant même, il recouvra la vue, et il le suivait en glorifiant Dieu (Luc 18:42-43).

Une prière spéciale

«En moi est Dieu qui me guérit et me conserve la santé. Mes facultés visuelles sont de nature spirituelle et éternelle tout en étant un attribut de ma conscience. Mes yeux correspondent au plan divin. Ils sont toujours de parfaits serviteurs. Je vois vers l'extérieur et en moi-même. Je reçois la vérité spirituelle, claire et puissante. La lumière de la compréhension s'allume en moi. De mieux en mieux, je vois la vérité de Dieu, un peu mieux chaque jour. Je vois, intellectuellement, spirituellement et physiquement. Je vois des images de vérité et de beauté. Partout.

«La présence divine, douée du pouvoir infini de guérir, m'ouvre les yeux en cet instant où mes facultés visuelles sont recréées. Mes yeux sont des instruments de la perfection voulue par Dieu et me permettent de voir en moi-même et de voir le monde extérieur. La magnificence de Dieu se révèle à mes yeux.

«J'entends la vérité. J'aime, je connais la vérité. Mes oreilles correspondent au plan parfait de Dieu. C'est pourquoi mon ouïe est toujours bonne. L'harmonie divine se révèle à moi dans la perfection de ces instruments.

«L'amour, la beauté et l'harmonie de Dieu emplissent mes yeux et mes oreilles. Je vois les oeuvres de Dieu, et j'entends sa voix en moi. Je suis à l'unisson avec l'infini. Je suis parfaitement disponible et libre.»

RÉSUMÉ

1. Vous participez au pouvoir divin de guérir qui réside en vous. Libérez-vous des désordres mentaux et de tout objet d'affliction. Laissez-vous pénétrer de la force intérieure qui guérit tout.

2. Quiconque ne se ferme pas à une suggestion forte et fausse, et s'abandonne à elle, devient la victime d'une idée fixe.

3. Le déséquilibre affectif a un effet suggestif. Une impulsion négative agit à votre insu. C'est ainsi qu'un enfant peut avoir la fièvre si sa mère souffre de quelque déséquilibre. Si la mère retrouve la paix intérieure et l'harmonie, son nouvel état se transmet à l'enfant et celui-ci guérit.

4. L'homme dispose naturellement du pouvoir de guérir car il peut atteindre par la pensée et par la foi l'infinie puissance curative qui réside en lui.

5. Le pouvoir de guérir qui réside en vous est la source de toute vie et donc de toute guérison. Il connaît les mécanismes vitaux se déroulant dans votre organisme. Faites confiance à la force qui guérit tout, maintenant, tout de suite, toujours.

6. Vous pouvez vous renouveler intellectuellement et physiquement en vous orientant sans réserve vers la santé et la force, vers l'harmonie et la perfection, et en méditant souvent là-dessus.

7. Dans la Bible, les vérités sont toujours exposées sous forme d'exemples et personnifiées, afin d'être imagées, proches de la vie quotidienne et convaincantes. Vous pouvez vous affranchir de tout complexe d'infériorité en vous sachant en liaison avec Dieu et, de ce fait, avec l'aide de Dieu, plus fort que toutes les inhibitions et que tous les obstacles.

8. Il n'y a pas de maladie incurable. Incurables sont les hommes qui restent attachés à leur erreur; ceux-là ne peuvent pas être guéris. Il leur est donné selon leur foi.

9. La foi aveugle ne saisit pas de manière scientifique le jeu des forces; c'est le cas, par exemple, de la prière de guérison. La guérison spirituelle vraie repose d'une part sur la coordination harmonieuse de votre vie consciente et de l'activité dynamique de votre subconscient par l'orientation vers un but déterminé, et d'autre part sur leur contrôle selon des critères scientifiques. La technique, la manière de procéder ne jouent aucun rôle. Tous les cas de guérison sont obtenus sous l'effet du subconscient.

10. La guérison est impossible, disent certains. Mais avec Dieu, tout est possible. Dieu, votre créateur et le créateur de toute vie, peut vous guérir.

11. Le pouvoir de guérison qui vous est donné peut, si vous le mettez en oeuvre dans l'univers de vos pensées et de vos représentations, conduire à la réalisation de tout ce que vous désirez.

12. Vos croyances se manifesteront dans votre vie. Il importe peu que votre foi soit présente à votre conscience claire ou non. Il vous suffit de croire à ce qui vous guérit, vous comble et vous inspire.

13. Glorifiez du fond de votre âme la toute-puissance de Dieu. Vous faites ainsi obstacle aux maladies menaçant votre corps ou l'ayant déjà atteint.

14. Un coeur reconnaissant est proche de Dieu. Aussi vous faut-il, dans toutes vos prières, louer Dieu et le remercier du fond du coeur.

15. Vous êtes intellectuellement aveugle si vous ignorez que vos pensées sont des réalités. Ce que vous pensez a des effets. Ce que vous ressentez, amour, haine, bonheur, chagrin, vous l'attirez sur vous-même. Ce que vous imaginez, vous le devenez.

16. Les facultés visuelles sont de nature spirituelle, éternelle et indestructible. Pour les approfondir et élargir votre champ de vision à l'intérieur et à l'extérieur de vous-même, habituez-vous à prononcer une prière merveilleuse: «Je vois de mieux en mieux; j'ai la vue, intellectuellement, spirituellement et physiquement.»

17. *Je lève les yeux vers les monts; d'où viendra mon secours? Le secours me vient de Yahwé...* (Ps. 121:1-2).

CHAPITRE 4

La loi dynamique de la protection

J'ai récemment rendu visite à une femme qui avait été transportée à la clinique universitaire de New York à cause d'une grave maladie — elle avait un cancer. Cette femme me confia que, depuis une trentaine d'années, elle vouait à sa belle-fille une haine implacable. Elle la haïssait — j'utilise ses propres termes — «comme le poison». Par ailleurs, elle m'assura que, durant toute sa vie, elle n'avait jamais songé à un cancer ni craint d'avoir une telle maladie. Sans doute était-ce vrai. C'est ailleurs qu'il fallait chercher la cause de sa maladie: dans ce «poison». La haine qu'elle avait entretenue pendant des années à l'égard de sa belle-fille avait, avec le temps, empoisonné toute sa vie affective. Cette attitude destructive avait profondément marqué son subconscient et y avait pris racine. Il n'y avait donc pas lieu de s'étonner que le poison se soit transmis de sa vie affective à son corps.

Je lui dis ce qu'il convenait de faire. C'est ainsi qu'une femme marquée par le chagrin et la haine s'engagea dans la voie du pardon. Elle se mit à prier pour sa belle-fille, et en fit une habitude. Dans ses prières, qui venaient du fond du coeur, elle pensait à celle-ci et la nommait par son nom dans un élan d'amour sincère.

«La paix de Dieu emplit son âme. Elle en est animée et bénie dans toutes ses voies. Dieu lui veut du bien et veille sur elle. La loi divine donne une issue favorable à tout ce qu'elle entreprend, agit pour elle, par elle, en elle et dans son entourage. Je m'en réjouis. De tout mon coeur, de toute mon âme, je lui veux du bien — je le sens. Chaque fois que je pense à elle, je ne lui souhaite que du bien. Désormais, je suis libre.»

Cette femme s'était réconciliée intérieurement avec sa belle-fille. Le changement intervenu dans son attitude affective modifia sa personnalité entière. Sous l'influence de cette transformation spirituelle et sous l'action d'un traitement médical prudent, sa santé s'améliora de jour en jour. Cette femme guérit finalement dans son corps et dans son âme. Cette guérison miraculeuse était essentiellement due à la force de la prière. C'est en priant qu'elle avait réussi à extirper de son inconscient le mal qui s'y trouvait profondément enraciné. Ainsi la maladie — la concrétisation de son mal — s'est-elle effacée au cours de la guérison intellectuelle, spirituelle et affective.

Il se libéra de tous ses doutes

Il y a quelques mois, je fis un long séjour dans une maison très hospitalière. L'hôte, un homme d'une rare noblesse de caractère, libéral et généreux, était atteint de la terrible maladie à laquelle avaient succombé son père et deux de ses frères: un cancer de la prostate. Depuis la mort de son père, c'est-à-dire depuis plus de vingt ans, il avait vécu dans la crainte incessante d'être atteint de la même maladie. Il me dit: «Ce que j'ai le plus redouté m'est arrivé.»

Cet homme avait depuis toujours l'habitude de prier. Mais, dans ses prières, il s'exprimait de telle sorte que Dieu semblait infiniment loin et que son aide ne lui semblait pas assurée: «Si Dieu le veut, il me guérira.»

Une telle conception de Dieu remonte à la représentation très ancienne du Dieu vengeur qui punit ses enfants. Or, qui doute de l'amour et de la bonté infinie de Dieu ne peut guère l'invoquer de tout coeur et avec une confiance sans réticence pour lui demander secours.

C'est alors seulement que mon hôte se rendit compte de ce fait, qui ne peut qu'ébranler un homme profondément religieux. Il se libéra de tous ses doutes. Il trouva la voie d'une attitude positive devant la vie, se fondant sur la joie et sur la confiance en Dieu. Son médecin l'y aida de son mieux. Il l'encouragea et souligna chaque indice d'amélioration. Aujourd'hui, cet homme est pratiquement guéri; je l'ai appris récemment par son médecin qui en était très heureux. Cette histoire vraie confirme elle aussi une vérité psychologique, à savoir que le subconscient enregistre la modification des convictions conscientes et réagit en conséquence.

Comment vous protéger vous-même

Combien de fois lisons-nous que des accidents d'avion, de chemin de fer, d'automobile ou de travail se sont produits! En lisant ces nouvelles, beaucoup attribuent de telles catastrophes à une puissance indéfinie agissant de l'extérieur ou bien au pur hasard. Dans cette perspective, les victimes sont l'objet de la pitié que l'on peut éprouver pour ceux qui auraient subi les coups du destin ou d'une fatalité arbitraire.

Cette conception appelle une objection de principe: tout a son origine dans l'esprit. La peur, le doute, le pessimisme trouvent leur expression dans la malchance, le malheur, la maladie. «Qui se ressemble s'assemble.»

Quiconque est pénétré d'une foi profonde et convaincu qu'une providence toute-puissante veille sur lui et le protège à chaque instant, dispose de la meilleure arme contre toute expérience malheureuse. Une telle attitude prévient efficacement le malheur. L'homme ne saurait mieux se protéger du malheur et de la misère qu'en croyant en Dieu et en son amour. Il nous sera donné selon notre foi.

Comment devenir invulnérable

Qui demeure à l'abri d'Elyôn et loge à l'ombre de Shaddaï dit à Yahwé: Mon rempart, mon refuge, mon Dieu en qui je me fie (Ps. 91:1-2).

Répétez sans cesse dans vos prières ces paroles merveilleuses de la Bible. Si vous croyez du fond du coeur à ces vérités, vous serez prémuni contre tout malheur éventuel. Vous serez invulnérable. Toutes les catastrophes — de l'incendie qui fait rage dans votre voisinage à la déclaration d'une guerre mondiale — trahissent l'attitude spirituelle des hommes. Les hommes en sont la cause, et c'est pourquoi ils doivent en subir eux-mêmes les conséquences.

Pourquoi elle ne trouvait pas de partenaire

«Je suis très timide, réservée et toujours un peu hésitante. Je n'ai ni ami ni fiancé.» Une jeune fille qui travaillait dans un bureau à Los Angeles vint à se plaindre à moi en ces termes. Elle désirait vivement trouver le partenaire qui lui convenait, aimer et être aimée, se marier, avoir une maison, des enfants et aussi, comme elle me l'avoua non sans quelque gêne, devenir femme et ne pas rester vieille fille.

Je lui répondis que tout ceci était compréhensible et tout à fait réalisable, à condition qu'elle ne fasse pas elle-même obstacle à ses désirs par un état d'esprit fermé à toute tournure positive des événements. Elle prit spontanément la résolution de chercher le bonheur dans la voie que je lui indiquai.

Elle s'épanouit littéralement. La jeune fille qui faisait naguère tapisserie devint bientôt méconnaissable. Nombreux étaient les jeunes gens qui s'efforçaient d'obtenir ses faveurs.

Mais elle n'avait que faire d'aventures sans lendemain. Elle voulait se marier. Sa décision était prise, et elle était convaincue que la sagesse infinie résidant en elle lui procurerait le mari idéal. Le soir, quand elle allait se coucher, elle s'imaginait la bague au doigt. Elle se représentait intensément cette scène de béatitude intérieure qui s'imprimait dans son subconscient sous forme d'une sensation concrète de la matérialité et de la dureté naturelle de l'alliance. En outre, elle se disait que l'alliance témoignait du mariage comme d'un fait accompli.

Elle trouva un mari, pas du jour au lendemain, mais tout de même au cours de l'été. Ils forment un couple heureux.

Tout d'abord, elle dut corriger l'aspect affectif de son attitude. Elle dut acquérir le sentiment d'être désirée. Elle dut le ressentir, sentir qu'elle était courtisée et admirée. Elle fut elle-même surprise de constater avec quelle facilité elle y réussissait. Elle acheta dans un grand magasin un agenda bon marché et y inscrivit les noms d'admirateurs imaginaires. Ensuite, elle s'abandonna à l'idée qu'il lui fallait consulter les noms imaginaires de son agenda, se décider en faveur de l'un ou l'autre de ses courtisans et repousser les autres sans ambiguïté. Tout le bonheur qu'elle en éprouvait était purement imaginaire, elle vivait dans cet univers de fantaisie durant la journée et surtout la nuit.

(La méthode suggestive préconisée ici par l'auteur du présent ouvrage est décrite en détail sous le titre «Comment attirer le mari idéal» à la page 160 du livre précité: *La puissance de votre subconscient.*)

Un élève «peu doué» devient un «as»

Le père dont il est ici question avait un seul souci: les notes de son fils à l'école laissaient beaucoup à désirer. Que ferait cet enfant plus tard si cela continuait? D'après l'instituteur, l'enfant avait du mal à comprendre et manquait d'intelligence. Il conseillait d'envoyer ce garçon dans un établissement pour enfants attardés.

Je conseillai au père de se soustraire à l'influence d'un homme dont les propos pessimistes s'opposaient à ses intérêts et à ceux de son fils. Le garçon avait besoin d'être encouragé. À cette fin, le père devait se comporter selon son voeu le plus cher, ce que d'ailleurs il fit. Chaque nuit, lorsqu'il reposait détendu sur son lit et s'abandonnait à la méditation, il orientait consciemment son imagination vers ce qui lui tenait à coeur: son fils lui montrant son bulletin trimestriel et lui disant, plein de fierté et de joie: «Regarde, papa, je n'ai que d'excellentes notes!»

Il revint sans cesse à cette image. Peu à peu, elle s'imprima sur son subconscient et devint pour lui une conviction vivante. Cette conviction se transmit au garçon, qui s'améliora jusqu'à devenir l'un des meilleurs élèves de sa classe. Le père vit ainsi se réaliser l'objet de sa méditation; ce fut le fruit de ses prières.

Il ne put être fusillé

Lors d'une série de conférences au Japon, je fis la connaissance d'un homme qui — chose vécue — dut la vie à sa foi inébranlable. Pendant la guerre, tout jeune encore, il fut condamné par le tribunal militaire de son unité à être passé par les armes. Il fut accusé et condamné à tort, mais à l'époque de la guerre, on ne se donnait pas grand mal pour distinguer l'innocent du coupable. En prison, sa situation paraissait désespérée. Mais le psaume 91, dans lequel il cherchait secours, lui donnait consolation et espoir. Dans sa cellule, il priait en silence et chaque soir, lorsqu'il s'endormait, sa dernière pensée était: «Ils ne peuvent pas me fusiller. Je suis innocent et fils de Dieu. Dieu me protégera.»

En dépit de son jeune âge, il savait déjà qu'il existe seulement une toute-puissance et une vie, et que Dieu participait à sa jeune vie. Il ne resta pas longtemps en prison. Un jour, sans la moindre explication, il fut libéré et renvoyé à sa troupe.

Ce jeune soldat, porté par un espoir inébranlable, avait imprimé l'idée de liberté sur son subconscient en s'imprégnant de la vérité de ce psaume admirable par des prières incessantes; il avait vécu la liberté si intensément en imagination qu'elle était devenue une part de lui-même. Avec l'aide du subconscient, avec l'aide de Dieu, tout est possible.

De votre réponse dépend votre avenir

Quand j'étais enfant, je me réjouissais de chaque visite. J'écoutais les propos des grandes personnes, qui me remplissaient d'étonnement. Combien de fois ai-je entendu des oncles et des tantes dire: «C'est tout naturel que les Dupont soient poursuivis par la malchance; vous savez bien qu'il ne vont plus à l'église depuis longtemps.»

De tels propos m'ont beaucoup étonné dans mon enfance. Tous les désagréments ou malheurs des gens étaient mérités; ces gens étaient considérés comme des pécheurs, que Dieu dans sa colère avaient jugés et condamnés.

Je me suis souvent demandé quel pouvait bien être ce Dieu dont ils parlaient. C'est pour moi l'occasion de vous poser également la question: Comment vous représentez-vous Dieu? Savez-vous que votre réponse à cette question décide en dernier ressort de votre avenir?

Ce que vous croyez de Dieu, vous le croyez aussi de vous-même

Encore aujourd'hui, nombre de gens se font une image complètement déformée de Dieu. Il voient en Dieu le vengeur cruel, une sorte de monstre ou de despote tyrannique trônant dans les nuages. On comprendra aisément qu'une telle image de Dieu, une fois devenue habitude, ait des conséquences désastreuses. Qui pense ainsi doit escompter une vie de ténèbres et de confusion, de peur et d'humiliations de toutes sortes. En d'autres termes, vous éprouverez dans votre vie ce qui constitue l'essentiel de votre foi en Dieu. Effectivement, de cela dépend en définitive votre vie, que vous en tiriez le meilleur parti possible ou que vous alliez au contraire vers le malheur et la souffrance.

Sur le plan psychologique, Dieu est ce que vous faites de lui. Aussi l'essentiel est-il de bien voir Dieu. Peu importe le nom que vous lui donnez, que ce soit la Sainte Trinité ou le Créateur, Allah, Brahma ou Vichnou, l'âme cosmique ou la providence, la sagesse infinie ou l'omniprésence, le créateur de l'univers ou l'esprit divin, l'être suprême, le principe de la vie, l'esprit vivant ou la toute-puissance créatrice. L'essentiel est seulement que votre foi en Dieu vous conduise et vous dirige et que l'image que vous avez de Dieu oriente votre propre vie.

Croyez au Dieu d'amour

Des millions d'hommes, aujourd'hui encore, ne croient pas au Dieu d'amour. À ceux-là, un dieu cruel et vengeur envoie maladie, affliction et douleur. Ils ne connaissent pas le Dieu de bonté infinie, aussi le Dieu d'amour n'existe-t-il pas pour eux. Sur la base d'une telle conception erronée de Dieu, vous ne pouvez récolter qu'affliction et soucis. Votre subconscient révèle vos croyances et les projette sur la scène de votre vie réelle, faisant de vos convictions des événements concrets dont vous êtes le support.

Il importe peu de confesser sa foi en Dieu, que ce soit du bout des lèvres ou sincèrement. Ce qui importe effectivement, ce sont vos véritables convictions, ce dont vous êtes pénétré dans votre esprit et jusque dans votre inconscient, c'est la foi de votre coeur par conséquent. De votre foi, vous ne portez pas seulement témoignage, vous la manifestez à tout moment. C'est pourquoi le Dr Quimby disait déjà très justement il y a un siècle: «L'homme est l'expression de sa foi.»

Des millions d'hommes font l'erreur de concevoir Dieu comme un être arbitraire résidant au loin dans les nuages. Cette erreur ne reste pas sans effet. Si vous concevez Dieu de la sorte, vous ressemblez à cet homme d'affaires qui me disait un jour: «Tout irait remarquablement bien pour moi, si seulement Dieu me laissait en paix.»

Dieu est amour. Croyez-le. Et croyez aussi que Dieu-vous protège et veille sur vous, qu'il vous aime et vous conduit vers le bonheur dans tous vos projets. Si vous êtes pénétré de ces vérités, des miracles s'accompliront dans votre vie et vos souhaits les plus chers se réaliseront.

Devenez un homme nouveau

...On lui donne ce nom: Conseiller-merveilleux, Dieu-fort, Père-éternel, Prince-de-la-paix (Isaïe 9:5).

Prenez-en dès maintenant la résolution — maintenant, tandis que vous lisez ces lignes, tout de suite: adoptez sans réserve la conception de Dieu exposée ci-dessus. Sachez que Dieu est joie et ravissement, indescriptible beauté, parfaite harmonie, sagesse infinie et amour illimité. Il est le principe suprême, omniprésent et tout-puissant.

Si vous acceptez ces attributs de Dieu comme une vérité indiscutable et absolue, comme une chose aussi naturelle que le fait d'être en vie, vous éprouverez vous-même les effets miraculeux de votre nouvelle conception de Dieu et vous bénéficierez dans votre vie des bénédictions du Dieu qui vous habite. Tout ira alors pour le mieux: votre santé, votre force vitale, votre existence professionnelle, votre entourage, l'univers entier dans lequel vous vous trouvez. Une période de prospérité spirituelle et matérielle commencera pour vous. Votre nouvelle vision des choses et la connaissance approfondie que vous aurez acquise de vous-même vous ouvriront des possibilités merveilleuses et feront de vous un être nouveau et heureux.

Il tripla son chiffre d'affaires

À l'issue d'une conférence que je fis à Londres, un homme d'affaires s'adressa inopinément à moi en ces termes: «Durant toute ma vie, j'ai eu peur de la pauvreté. Que puis-je faire?»

Je lui dis qu'il devrait désormais voir en Dieu son commanditaire, son conseiller et son pionnier. Il devrait voir en Dieu un père plein d'amour, un guide et un protecteur veillant à satisfaire tous ses besoins et l'éclairant sur les décisions à prendre.

Quelques mois plus tard, il m'écrivit une lettre dont voici un extrait: «Dieu est effectivement présence vivante, mon meilleur conseiller, mon guide, mon ami. Je le sais maintenant. J'ai triplé mon chiffre d'affaires. Ma santé aussi s'est beaucoup améliorée: je n'ai plus besoin des lunettes que je portais depuis vingt ans, je les ai jetées.»

Les paroles de cet homme vous indiquent quel facteur a joué au début et à la fin du tournant positif de sa vie. Il avait pris la résolution de voir en Dieu son père. Or, le mot «père» avait pour lui une signification très profonde. Il résume tout ce qui est amour et protection, bienveillance et lumière sur la voie à suivre. Faites le nécessaire pour que les mêmes miracles se produisent dans votre vie.

Le miracle des trois étapes

Dans l'exercice de mon sacerdoce, je mariai un jour un couple jeune et sympathique dans le Middle West américain. Néanmoins, contre toute attente, ces jeunes gens se séparèrent très vite et la jeune mariée revint chez ses parents. Son amour avait-il subitement pris fin? Ne parvenaient-ils pas à vivre ensemble? Que s'était-il passé?

Au cours d'un entretien ultérieur, le jeune homme m'avoua ceci: «De jour comme de nuit, j'étais poursuivi par l'idée qu'elle avait des relations avec d'autres hommes. J'étais affreusement jaloux. Je n'avais aucune confiance en elle. Je ne cessais d'imaginer qu'elle rencontrait d'anciens amis en mon absence. Pas une heure ne passait sans que j'aie peur de la perdre.»

Ce jeune homme avait une mauvaise opinion de sa femme, aussi s'abandonnait-il à son imagination troublée par la peur et la jalousie. Son comportement était sans aucun doute en contradiction avec la promesse matrimoniale par laquelle chaque conjoint s'engage à aimer et à respecter l'autre en toutes circonstances, à veiller sur lui et à lui rester fidèle. Agissant à l'encontre de cette promesse, il était sans cesse poursuivi par la crainte et la jalousie. Ces sentiments et ces pensées maladives se transmirent inconsciemment à sa femme et s'implantèrent de manière décisive dans son subconscient. Du fait que la jeune femme n'avait aucune connaissance des lois de l'esprit ni de la force dynamique du subconscient, elle était constamment soumise à la suggestion négative, tant affective que spirituelle, de son mari. Des circonstances se produisirent dans ce sens, et ce qu'il avait cru et redouté arriva. Il y vit la confirmation de ses mauvais pressentiments et estima que seule sa femme était coupable. Or, en réalité, il lui avait simplement été donné selon sa foi.

Sur mon conseil, ce couple lut l'un de mes livres, *La puissance de votre subconscient*. Pour la première fois, il entendirent parler de la force dynamique de l'esprit et de l'action coordonnée des forces spirituelles sur le conscient et sur l'inconscient.

Sous l'influence de ce qu'ils venaient d'apprendre, ils décidèrent de faire un nouvel essai et de donner à leur vie commune une forme nouvelle. Ils s'engagèrent à prier ensemble matin et soir et à réaliser le miracle des trois étapes dont il est question dans le livre précité.

Première étape: Au commencement de toutes choses, il y a Dieu. Aussi priaient-ils Dieu dès le réveil de les accompagner partout. Ils pensaient l'un à l'autre dans un esprit de paix, d'harmonie, d'amour et de joie, ainsi qu'à leurs connaissances et à l'humanité entière.

Deuxième étape: Au petit déjeuner, ils disaient ensemble le bénédicité. Ils remerciaient Dieu de la nourriture et de l'abondance qui leur était donnée ainsi que de tous les bienfaits dont ils étaient comblés. Ils évitaient de s'entretenir à table de problèmes susceptibles de provoquer des disputes, de soucis ou de questions épineuses. Ils observaient ce principe à tous les repas.

Troisième étape: Chaque soir, ils priaient alternativement à haute voix pour l'autre. Ils se servaient pour cela de la Bible, heureux de la richesse spirituelle que cette lecture édifiante leur procurait. Ils lisaient en particulier les psaumes 23, 27 et 91, le 11e chapitre de l'épître au Hébreux et le 13e chapitre de la 1re épître aux Corinthiens. Et chaque fois, ils terminaient leur prière par ces simples mots: «Nous te remercions, Père, de toutes les bénédictions que tu nous as accordées aujourd'hui. Dieu nous donne un sommeil reposant.»

Ils prirent tous deux la ferme résolution de ne plus rien faire qui pût blesser ou irriter l'autre. Ils se témoignèrent mutuellement leur amour et leur estime et s'efforcèrent de se faire plaisir réciproquement par des paroles et par des actes. Peu à peu, ce comportement devint pour eux une habitude. Dans le même temps, ils furent animés du désir profond de faire de leur mariage une alliance pour la vie.

Ce sont là des règles simples et pratiques, mais grâce auxquelles le jeune couple put vivre dans l'harmonie et le bonheur.

Le couple à nouveau réuni

Je me souviens souvent d'un événement fort étrange dont je fus le témoin à Dallas au Texas. Un couple qui m'était jusque-là inconnu se présenta à mon hôtel et demanda à me parler d'urgence. Tous deux avaient l'air passablement effaré. Ils s'inquiétaient de choses qui leur étaient arrivées et craignaient de ne plus pouvoir changer leur existence qu'ils estimaient «gâchée». Quelques années auparavant, le couple avait eu une violente dispute à cause d'un terrain. Chacun d'eux refusait de faire la moindre concession et se laissait aveugler par la colère. Au paroxysme de cette querelle, tous deux demandèrent le divorce. Une procédure longue et lourde de querelles s'ensuivit. Le divorce ne fut prononcé qu'un an plus tard. Ensuite, ils ne virent chacun de son côté rien de plus urgent à faire que de se remarier. Mais — m'assurèrent-ils — ce fut là la plus grande erreur de leur vie. Ils étaient d'accord sur ce point qu'ils s'étaient remariés seulement — d'après leurs propres termes — «pour protester l'un contre l'autre». Tous deux affirmèrent: «Nous nous aimons toujours. Mais que faire?»

Je leur conseillai de mettre fin à cette farce — qui pesait sur leurs consciences — des deux mariages contractés à tort, de demander à leurs conjoints actuels compréhension et pardon, et de se retrouver. Ils avaient conscience d'avoir trompé leurs nouveaux conjoints, ce qui n'était ni loyal ni juste à leur égard.

Tous deux regrettaient leurs fautes, dont la principale avait sans doute consisté à agir sous l'empire d'un orgueil déplacé et d'un amour-propre blessé.

Leur amour réciproque les ramena l'un à l'autre. Les «mariages de protestation» firent l'objet de divorces par consentement mutuel, avec l'accord et la bénédiction de tous. Le couple était de nouveau réuni.

L'amour unit deux coeurs, et c'est un lien indissoluble. *Ce que Dieu a uni, l'homme ne doit point le séparer* (Matthieu 19:6).

L'amour peut tout changer

Récemment, une jeune femme me demanda si j'estimais possible que quelqu'un puisse désunir un ménage en exerçant sur lui une influence purement intellectuelle. Cette question n'avait rien de théorique: il s'agissait de son propre ménage, que son père désapprouvait. Cette jeune femme avait épousé un catholique, ils s'aimaient beaucoup. «Mais mon père, me dit-elle, appartient à une autre confession et est hostile à tous les catholiques.»

Cette jeune femme craignait que l'attitude inexorable de son père et l'atmosphère haineuse qu'il répandait fussent à la longue nuisibles pour son jeune ménage. Cette crainte ne la quittait pas.

Aimer ses parents est certes le devoir de chaque enfant. Toutefois, dans un pareil cas, il est hors de doute que chacun doit suivre l'appel de son coeur et connaître ses propres forces. J'essayai de la convaincre que le pouvoir de son père cessait de s'exercer au seuil même de ses pensées et sentiments propres. Ceci lui parut évident. Ainsi la peur suscitée par son père cessa-t-elle d'agir. Dans ses prières, elle prit conscience que c'était bien l'amour de Dieu qui, dès le début, l'avait unie à son mari et la maintenait unie à lui dans son étreinte embrassant tout l'univers. Quotidiennement, cette jeune femme se disait que leur coeur et leur esprit à tous deux étaient pénétrés de la beauté de Dieu, de son amour et de son harmonie, que l'amour de Dieu déterminait leur destinée. En priant régulièrement, elle parvint à se convaincre que rien ne pouvait la détacher de l'homme qu'elle aimait.

Elle s'aperçut avec exaltation que les suggestions négatives de tiers n'avaient aucun effet sur le bastion de la conviction fondée sur son amour. L'amour est une affaire de coeur. Et comme ces deux jeunes gens s'aimaient, se respectaient mutuellement et étaient de bonne volonté envers eux-mêmes et envers les autres, leur bonheur s'accrut de jour en jour.

Dans le même temps, la jeune femme pria pour une meilleure entente avec son père. Ces prières aussi furent exaucées. Son père s'affranchit de son préjugé. «Il est déjà devenu beaucoup plus tolérant, me dit-elle avec joie. Il est en voie de se prendre d'une véritable affection pour mon mari.»

La métarmorphose d'un délinquant à l'agonie

Rendant visite à cet homme, je le trouvai sur son lit de mort, à bout de forces, lui, alcoolique invétéré et criminel à l'occasion. Au moment de mourir, il se rendit compte de ses torts. Il essaya de se réconcilier avec sa conscience en me confiant avec repentir ses méfaits, et me demanda avec inquiétude s'il n'allait pas être châtié par Dieu et aller en enfer après sa mort.

J'essayai de faire comprendre à cet homme désespéré que Dieu ne châtie personne. Nous nous châtions nous-mêmes, quand — par ignorance, indifférence ou préméditation — nous contrevenons aux lois les plus élémentaires de la vie que sont l'amour, l'harmonie et un comportement juste. Tout d'abord, lui expliquai-je, il devait apprendre à se pardonner lui-même et à recevoir Dieu en son coeur; une fois qu'il aurait décidé de mener une vie nouvelle, agréable à Dieu, il deviendrait un homme nouveau; le passé qui pesait sur sa conscience serait effacé.

Au terme de ma visite, nous priâmes ensemble. Il me parut ensuite détendu et heureux. Ce changement visible avait son origine dans la foi qui s'était éveillée en lui. Au cours de la prière, il acquit la conviction d'avoir trouvé le pardon. Il poussa un soupir de soulagement et affirma avec résolution et simplicité être désormais prêt pour le ciel. Peu importe d'ailleurs ce qu'il entendait par ce mot «ciel».

Peu de temps après, son médecin constata une amélioration remarquable de son état. Il put bientôt diagnostiquer que sa vie n'était plus en danger. Effectivement, dix jours plus tard, il put quitter l'hôpital.

Aujourd'hui, cet homme que j'avais vu à l'agonie est âgé de 85 ans. Il est encore en excellente santé et — ce qui contribue certainement dans une large mesure à son bonheur — il est devenu un honnête homme vivant consciemment avec Dieu. Le changement spirituel et physique d'un homme tombé dans la mauvaise voie, puis malade et sur le point de mourir, n'aurait pu être plus complet. Comment ce changement a-t-il pu se produire?

Cet homme avait accueilli la vérité sur Dieu et, avec tous ses méfaits sur la conscience, avec tous ses sentiments de haine et de culpabilité, s'était remis entre les mains de Dieu. Ainsi s'était-il délivré sur le plan psychique et spirituel. Son corps avait réagi avec une spontanéité relevant du miracle: il s'était engagé sur la voie du bien, qui correspondait à sa nouvelle attitude intellectuelle. Libération et paix intérieures sont les facteurs de la guérison.

La prière lui sauva la vie

Jugez ici de l'histoire d'un homme dont le cas semblait désespéré. Il souffrait d'une septicémie aiguë. Il était à l'hôpital, avait été traité aux antibiotiques et avait subi plusieurs transfusions sanguines. Néanmoins, son état de santé ne s'améliorait pas. Bien au contraire, sa vie était en danger. Finalement, c'est à peine si on lui accordait encore une chance de survie.

Il vint à parler de son ancien associé. «J'ai cet homme en horreur, dit-il, il s'est montré à moi sous son jour le plus odieux, c'est un individu pitoyable et ignoble.»

Avec ses paroles s'ouvrait en quelque sorte un abcès de son âme. Il n'aurait pu exprimer plus nettement sa haine et sa répulsion que lorsqu'il envisagea la possibilité, une fois sorti de l'hôpital, de se procurer un fusil pour abattre son ennemi.

Il était évident que cet homme gravement malade s'apprêtait en fait à se suicider. D'un côté, il affirmait qu'à aucun prix il ne consentirait à s'asseoir à la même table que son «ennemi mortel» qui l'avait dupé et trompé; mais, de l'autre côté, il lui consacrait la plus grande part de ses pensées. Il tournait vers lui son esprit, son âme, son cerveau, son coeur, jusqu'au plus profond de son circuit sanguin et de la moelle des os, ce tissu cellulaire servant à la formation des globules rouges. Ainsi abandonnait-il à cet homme qu'il disait haïr du fond du coeur le pouvoir de régir son esprit, son coeur et tous ses organes vitaux. Je dus lui faire prendre conscience peu à peu de cette situation, qui ne manqua pas de le surprendre tout d'abord.

Il comprit que son associé n'avait aucune part de responsabilité dans sa maladie; d'ailleurs, chacun pense pour soi dans l'univers de son esprit et porte donc seul la responsabilité de tout ce qu'il pense, imagine et ressent, ainsi que des conséquences qui en découlent. Je lui conseillai de prier en utilisant à cette fin la prière figurant à la fin du présent chapitre.

Cet homme guérit rapidement. En se tournant spirituellement vers Dieu, il suscita une amélioration de la composition de son sang. Si vous priez, des miracles se produiront effectivement.

La puissance de Dieu

La prière ci-dessous a aidé bien des gens. Si vous méditez la vérité merveilleuse sur laquelle elle repose, vous parviendrez à changer votre vie et à devenir une personne nouvelle. Vous constaterez rapidement que des miracles se produisent également dans votre vie.

«Dieu est omniprésent et tout-puissant, et je suis une part de la nature divine. La force de Dieu est ma force. Sa sagesse pénètre mon esprit. J'en suis conscient à tout instant, et ceci me donne la force de prendre en main ma propre vie. Je suis maintenant en union avec l'esprit universel, avec Dieu. Sa sagesse, sa puissance et sa magnificence me pénètrent. La puissance de Dieu, source de vie, emplit jusqu'à la dernière fibre de mon corps, jusqu'à la dernière particule de mon être. Je suis en bonne santé, je le sais, sain de corps et d'esprit. Dieu est la vie, et de cette vie vient ma vie. Je suis confirmé dans ma foi, renouvelé, et ma force vitale est rétablie. Dieu agit et parle en moi. Il est mon Dieu, je suis en union avec lui. Sa vérité est pour moi protection et sécurité. Je m'estime donc heureux. Je peux avoir confiance en la protection de Dieu. Je vis sous la protection secrète du Tout-Puissant.»

RÉSUMÉ

1. La haine est un poison spirituel. Les antidotes sont le pardon et l'amour, qui guérissent tout.

2. Changez de conception: représentez-vous un Dieu d'amour. Dieu est pour vous — il faut que vous en preniez conscience — et non contre vous.

3. Votre état d'esprit est la cause, et l'expérience vécue est l'effet.

4. Vous pouvez vous préserver d'expériences douloureuses en vous pénétrant du fait que l'amour de Dieu plane sur vous, vous entoure et vous protège.

5. Croyez de tout votre coeur aux vérités du psaume 91, et vous serez immunisé et invulnérable.

6. Imaginez que vous êtes aimé, estimé et entouré, vivez avec ce sentiment; ainsi vous ne manquerez jamais d'amis.

7. Si vous avez un enfant «attardé», pensez à lui dans vos prières et méditez sur la sagesse de Dieu, à laquelle tous les enfants ont part.

8. Suggérez à votre subconscient que vous êtes libre, et votre désir de liberté se réalisera.

9. L'idée que vous avez de Dieu exerce une influence décisive sur le cours de votre vie.

10. L'idée que vous avez de Dieu est en fait ce que vous pensez de vous-même. «L'homme est l'expression de sa foi.»

11. Votre profession de foi solennelle importe peu. Ce qui compte, c'est la foi de votre coeur.

12. Dieu est joie et ravissement, paix, beauté et amour. Ce qui est vrai pour Dieu est aussi vrai pour vous. Soyez pénétré de cette conviction. Si vous vous accoutumez à cette pensée, des miracles se produiront dans votre vie!

13. Mettez toute votre confiance dans ce principe selon lequel Dieu veille à satisfaire tous vos besoins, et le bonheur vous accompagnera dans toutes vos entreprises.

14. La peur, devenue pour vous une habitude, peut se communiquer au subconscient de votre partenaire. Efforcez-vous d'orienter vos pensées vers le beau et vers le bien.

15. Le lien conjugal de deux êtres unis par l'amour de Dieu ne peut être détruit par rien ni personne. L'amour est un lien indissoluble.

16. Dieu ou la vie ne châtient personne. Nous nous châtions nous-mêmes, par ignorance, par indifférence, ou par violation délibérée des lois de l'harmonie, de l'amour et du comportement juste.

17. La haine est un poison mortel. Ce poison parvient à détruire tous les organes nécessaires à la vie.

CHAPITRE 5

La loi mystérieuse de la conduite intérieure

À qui n'arrive-t-il pas parfois d'être consterné, désemparé, plein d'anxiété? Qui ne s'est pas trouvé dans une situation critique et ne s'est interrogé avec inquiétude sur la conduite à adopter? Quand cela vous arrive, souvenez-vous de la voix intérieure qui vous guide dans la vie et vous révèle comment vous comporter et agir justement. Le mystère de cette indication intérieure vous permettant de vous comporter de la façon qui convient, c'est que vous vous abandonnez avec une totale confiance à la réponse juste, sans pourtant la connaître, jusqu'au moment où cette réponse jaillit de l'intérieur de vous-même.

La sagesse infinie sommeillant dans les profondeurs de votre subconscient connaît tous vos problèmes, toutes vos questions, et aussi toutes les réponses. Vous percevez chaque réponse sous la forme d'un sentiment intérieur, d'un pressentiment revêtant la force d'une certitude. Une force intérieure vous pousse à dire le mot qu'il faut quand il faut et à prendre la décision juste; bref, à faire ce qu'il convient de faire.

Suivez votre intuition

Un ecclésiastique de mes amis me demanda un jour mon avis. Il voulait savoir s'il devait recommander au consistoire l'acquisition d'un terrain en vente à proximité de l'église dont il avait la charge. Je n'en savais rien moi non plus. Mais je lui fis la proposition suivante: «Nous allons prier pour être éclairés et suivre l'indication qui nous sera donnée.»

Tout d'abord, il ne se passa rien qui fût susceptible de nous éclairer. Mais quelques jours plus tard, il me téléphona. Le consistoire allait se réunir, me dit-il. Il allait être appelé à prendre une décision dans l'affaire du terrain en vente. Il n'avait pas achevé de parler que je sentis très clairement que la seule réponse possible devait être négative. Il poursuivit lui-même en disant qu'intuitivement, il sentait qu'une réponse négative s'imposait. Chez lui aussi par conséquent, un sentiment avait jailli et pris la force d'une certitude, fournissant ainsi une réponse à la question. Beaucoup plus tard seulement, des événements prouvèrent que sa décision avait été la bonne.

Il y a toujours une solution

Dans une lettre désespérée, une auditrice me fit part des ennuis que lui causait un locataire. Cet individu se comportait d'une manière si bruyante, si vulgaire et si grossière que tous les autres locataires s'en plaignaient vivement. Beuveries et bagarres se succédaient sans interruption. Mais il refusait absolument de déménager.

Je me référai au texte de mon émission à la radio, qu'elle connaissait, et lui répondis d'une manière approfondie. Comme je le lui conseillai, elle se calma et prit l'habitude de prier pour cet homme. Elle fit appel à la sagesse infinie résidant dans le subconscient de son locataire afin de décider celui-ci à prendre congé d'elle en paix et à quitter le logement. Confiante dans la solution qui se présenterait, elle ne cessa de se dire: «Je ne lui en veux pas, je ne l'accuse de rien. Il partira de lui-même. Je le laisserai partir en paix et je lui souhaite sincèrement de trouver lui aussi la paix, l'amour et le bonheur.»

Le souhait formulé avec tant de ferveur dans sa prière se réalisa soudain. Contre toute attente, cet homme paya subitement l'arriéré de son loyer et partit. Il n'y eut pas le moindre éclat, pas la moindre discussion. La paix et le calme revinrent tant dans le coeur de cette femme que dans la maison. Ce n'est donc pas un hasard si elle trouva bientôt un nouveau locataire paisible et d'un haut niveau intellectuel.

La méthode d'un brillant homme d'affaires

Un homme d'affaires bien connu pour son dynamisme et ses succès me révéla un jour comment il priait pour apprendre la marche à suivre. Il use d'une technique séduisante par sa simplicité.

Le matin, avant de se mettre au travail, il se retire dans son cabinet privé, où rien ni personne ne vient le déranger. Les yeux fermés, il se représente les merveilleux attributs de Dieu, auxquels il est conscient d'avoir part. Ceci lui apporte paix intérieure, confiance en soi et force. Ensuite, il dit cette simple prière: «Père, toi qui sais tout, donne-moi l'idée dont j'ai besoin pour mes affaires.» Ensuite, il s'imagine être déjà en possession de la solution cherchée. Et, chaque matin, il termine sa méditation par ces termes: «Voilà la bonne solution, je l'adopte et dis merci.»

Après avoir prononcé cette prière, il s'adonne à son travail quotidien et règle les affaires courantes. La solution cherchée se révèle à lui quand il ne pense pas le moins du monde à son problème. Il m'a assuré que de telles solutions lui venaient parfois à l'improviste dans un éclair. Ses collaborateurs et partenaires confirment qu'effectivement, il a le don incroyable de trouver instantanément les solutions justes dans tous les domaines.

La solution d'un problème particulier

Un professeur d'université avec lequel je suis lié d'amitié avait un besoin urgent, pour compléter un ouvrage presque achevé, d'un certain nombre de détails. Il s'agissait de faits historiques et de dates entre 1500 et 1000 avant Jésus-Christ. Il avait procédé en vain à des recherches dans la littérature scientifique dont il disposait. Il ne pouvait même pas dire d'une manière certaine où se trouvaient les informations dont il avait besoin — peut-être au British Museum, à treize kilomètres de distance, peut-être à la New York Public Library, à cinq kilomètres. Il n'aurait même pas su indiquer à ces bibliothécaires les titres des ouvrages dont il avait besoin. Il ne savait plus que faire. Ces difficultés risquaient de retarder de nombreuses semaines la publication de son livre.

Je lui proposai de faire ce qu'il y a de plus efficace en l'occurence: se détendre physiquement et intellectuellement avant de s'endormir et méditer de la manière suivante: «Mon subconscient connaît la réponse et me procure les informations dont j'ai besoin.» Ensuite, il devait se refuser à toute autre réflexion et se concentrer sur un seul mot: «Réponse». Même détendu et sur le point de s'assoupir, il devait sans cesse se répéter ce mot-clé.

Le subconscient est omniscient, il connaît la réponse et la solution juste. C'est lui qui révèle la solution dans le rêve, sous forme d'un pressentiment qui s'impose, ou tout simplement dans le sentiment d'une certitude intérieure. Alors s'impose l'évidence d'être guidé sur la bonne voie.

La technique exposée ci-dessus apporta le succès attendu. En se rendant comme d'habitude à l'université, notre professeur eut un jour l'idée de faire un détour par le centre commercial et de se rendre chez un certain libraire. À peine eut-il pénétré dans cette librairie, où régnait un passable désordre, et jeté un coup d'oeil sur les livres rangés sur les étagères près de l'entrée, qu'il se dirigea avec assurance vers un livre ayant attiré son attention. Il prit en main l'ouvrage qu'il avait cherché sans le savoir. Depuis qu'il avait commencé à méditer, c'était le matin du troisième jour.

Conditions: détente et réceptivité

Souvent, nous recevons des impressions venant de l'intérieur et dues à la conduite divine. Nous devrions toujours compter sur une telle éventualité et rester réceptifs. Si un sentiment intérieur, une image ou une idée s'impose à nous, nous devrions en prendre conscience clairement et ne pas refuser une telle indication.

Il y a essentiellement deux raisons qui font que nous n'avons pas conscience de cette conduite intérieure. D'abord, nous ne sommes pas en mesure de la connaître sous la contrainte, toute tension constituant un obstacle. Ensuite, nous ne pouvons la percevoir si nous n'avons pas l'oreille assez attentive au moment où la voix intérieure se fait entendre. Par contre, si nous avons une saine confiance en nous et le sentiment d'être sereins et heureux, nous ne manquerons pas de percevoir les manifestations instantanées de notre intuition. Et, qui plus est, nous serons littéralement contraints — subjectivement bien entendu — d'agir selon notre intuition.

Par conséquent, si vous voulez demander dans votre prière d'être guidé intérieurement, il vous faut remplir les conditions nécessaires. Vous devez être détendu physiquement, intellectuellement et psychiquement, sans la moindre tension. Dans un état de tension physique ou de contraction intérieure, sous la pression exercée par votre angoisse ou vos soucis, rien ne vous réussira. Libérez-vous d'abord de tout cela. Assouplissez votre corps. Calmez-vous. C'est seulement dans l'état de calme intérieur que votre conscience s'ouvre et devient réceptive aux inspirations intuitives jaillissant de votre subconscient.

La mine d'or de l'intuition

Le terme «intuition» signifie suggestion ou enseignement reçu de l'intérieur. L'intuition n'a rien de commun avec la raison ou la pensée qui analyse et compare. L'inspiration intuitive surpasse de loin l'entendement. Vous ne mettez votre entendement en oeuvre qu'à partir du moment où vous réalisez vos inspirations intuitives. L'intuition par contre est une appréhension directe, une réponse spontanée que vous recevez de votre inconscient — en accord avec votre pensée consciente.

Pour les personnes exerçant une activité professionnelle, il est capital de cultiver leurs capacités intuitives, car cela leur permet bien souvent d'obtenir rapidement des résultats qui auraient demandé des semaines de travail assidu, d'essais infructueux et d'erreurs interminables s'ils avaient eu recours à la raison critique.

Face à des difficultés apparemment insurmontables et à une confusion inextricable, il arrive que notre entendement se dérobe. C'est alors que l'intuition nous apporte à l'improviste la réponse qui convient. Pendant que notre entendement se livre encore à des réflexions et se tourmente à analyser, à développer et à rejeter une idée, notre intuition subjective entre toujours en action sans peine, et spontanément. Elle atteint notre intellect à la manière d'une étincelle, plonge dans notre pensée consciente comme une étoile polaire. C'est aussi l'intuition qui, devançant de loin l'entendement, nous met en garde contre la réalisation de tel ou tel projet.

Le trésor où nous puisons nos idées

L'intuition fait apparaître les idées qui sommeillent dans notre inconscient. De ce trésor d'idées enfoui dans le subconscient, on peut «tirer» des slogans publicitaires, comme le montre le cas d'une rédactrice dans une agence de publicité. Sa technique est simple. Quand elle va se coucher, elle demande en pensée la «bonne formule» et s'endort avec ce mot sur les lèvres, attendant avec confiance que cette formule lui vienne à l'esprit, ce qui ne manque pas d'arriver. Son succès repose sur le principe suivant: ... *il ne fait pas défaut...* (Sophonie 3:5).

Ainsi travaille également à Calcutta une femme écrivain de mes connaissances. Son succès est le résultat de prières régulières et systématiques. Elle vit et prie dans la conviction que Dieu la guide sans cesse et lui permet de susciter l'admiration par les dons qu'il lui accorde.

Sa prière préférée est la suivante: «Dieu sait tout. Dieu est mon moi supérieur, l'esprit qui réside en moi. Dieu écrit par mon intermédiaire. Il m'indique le sujet, les personnages, les idées, les détails. Il noue les fils et les dénoue comme le veut la logique. Je le remercie de toutes les solutions qui vont me venir à l'esprit. Je m'endors avec les mots «mon roman» sur les lèvres et glisse ainsi dans les profondeurs du sommeil.»

Cette dame savait que sa suggestion «mon roman» se gravait en quelque sorte dans son subconscient et que celui-ci réagirait en conséquence. En général, elle éprouvait peu de temps après le besoin intérieur d'écrire. Et, quand elle se mettait au travail, les idées et les expressions lui venaient tout naturellement.

Ces exemples prouvent l'existence des miracles sous la direction divine, miracles auxquels nous pouvons tous avoir part.

Il trouva l'emploi qu'il cherchait

Un employé de commerce se plaignait amèrement: «Je cherche un emploi qui me convienne et ne fais que courir d'une maison à l'autre. Mais je tombe de Charybde en Scylla.»

J'essayai de l'aider. Tout d'abord, il devait reconnaître qu'il y avait une solution à son problème, même s'il ne la discernait pas encore. Car la sagesse infinie résidant dans son subconscient connaissait ses aptitudes et savait comment et dans quelle position il aurait la possibilité de déployer ses dons. Je le persuadai de prier régulièrement de la manière suivante: «Je crois et ne mets pas en doute que dans mon subconscient agit une intelligence créatrice qui sait tout et vit tout. Cette intelligence me guide maintenant tout droit vers l'endroit où ma vie prendra son sens; je le sais. Je ne pose pas de questions et j'accepte la voie qui m'est fixée par mon guide intérieur. Ma présence en ce monde a son sens; je souhaite du plus profond du coeur que ce sens maintenant se concrétise.»

Il prit congé de moi le coeur soulagé, voire heureux. Peu de temps après, il trouva l'emploi recherché qui lui donnait satisfaction à tous égards. À qui doit-il d'avoir fait bonne impression et d'avoir été engagé? C'est la sagesse infinie qui l'a guidé.

Une prière pour être guidé par Dieu

«Je sais que la demande détermine l'offre; c'est une loi. Je suis animé par de bons mobiles; je souhaite sincèrement faire toujours ce qui convient. Ce dont j'ai besoin me sera accordé. Je me trouve maintenant à la place qui convient. Je mets mes dons en oeuvre aussi bien que possible et reçois la bénédiction de Dieu. La sagesse infinie me guide et agit dans mes pensées, mes paroles et mes actes. Tout ce que j'entreprends est dans le pouvoir de Dieu et ne s'accomplit que sous sa conduite.

«Je sens et crois que le divin en moi éclaire ma voie; je le sens, le crois et le sais. La sagesse divine m'inspire, me guide et me commande dans toutes mes entreprises; elle connaît instantanément la réponse à tout ce que je dois savoir. L'amour de Dieu éclaire mon chemin et me conduit sur les sommets de la paix intérieure, de l'amour, de la joie et du bonheur. C'est merveilleux.»

RÉSUMÉ

1. Faites vôtre — intellectuellement et affectivement — la certitude que vous recevrez la réponse adéquate. Et cette réponse vous sera donnée.

2. La sagesse infinie résidant dans votre subconscient sait et voit tout. Ayez confiance en elle et invoquez-la. Elle seule connaît la réponse à vos questions. Et cette réponse vous sera donnée.

3. Suivez votre voix intérieure, celle de votre intuition. Très souvent, elle fait irruption spontanément dans votre conscience claire, à l'improviste, comme un éclair.

4. Dites-vous à chaque instant ceci: il y a toujours une solution. Partez de ce principe et détendez-vous parfaitement. Si vous priez ensuite dans cet état de décontraction physique, intellectuelle et émotionnelle, vous bénéficierez vous-même de miracles.

5. Prier pour obtenir d'être guidé intérieurement, c'est mener un entretien sur deux plans, à savoir la demande et la réponse. Si, convaincu qu'une réponse viendra, vous demandez un conseil à votre voix intérieure, vous recevrez une réponse.

6. Votre subconscient indique des solutions que vous ne connaissez pas. La solution peut se trouver dans un livre découvert tout à fait à l'improviste, ou dans une conversation dont vous êtes témoin par hasard. Il y a d'innombrables possibilités d'apprendre la réponse.

7. Pour recevoir l'indication qui nous est donnée de l'intérieur, nous devons être détendus et réceptifs, toujours prêts à écouter. Dans ces conditions, nous pourrons appréhender consciemment les inspirations de notre intuition et les suivre.

8. La sagesse et le savoir de votre subconscient franchissent le seuil de la conscience et pénètrent dans votre conscience claire si votre vie consciente est libre de toute tension et se trouve dans l'état d'équilibre de la paix intérieure. Détente, tel est le mot clé.

9. Quand, détendu, vous glissez lentement dans le sommeil, il faut vous répéter sans cesse, comme une berceuse, le mot «Réponse», jusqu'à ce que vous vous endormiez avec ce mot sur les lèvres. Vous recevrez la réponse qui convient.

10. L'intuition surpasse de loin l'entendement. Vous ne devez vous servir de l'entendement que pour la réalisation de vos inspirations intuitives.

11. Quoi que vous écriviez, écrivez toujours en faisant confiance à votre subconscient, qui vous indique sujet et détails tout en vous guidant. Vous serez étonné des résultats et vous vous en féliciterez.

12. La sagesse qui réside dans votre subconscient vous conduira là où votre vie prendra son sens et où vos dons cachés pourront se déployer.

13. Faites confiance à la prière: «L'amour de Dieu éclaire ma voie et donne à ma vie son sens, lui assure bonheur et plénitude.» Cette devise vous permettra de rester toujours serein et de connaître la paix intérieure.

CHAPITRE 6

La loi puissante de l'encouragement intérieur

Dans l'inconscient sommeille la peur. Elle ne nous vient sans doute pas seulement de nos pères et de nos ancêtres. Il se peut bien qu'elle remonte aux temps les plus reculés de l'histoire humaine et au berceau de l'esprit humain. Cette peur originelle a laissé des traces dans l'inconscient de chacun. Elle est à l'origine de toutes nos craintes. Mais nous pouvons tous apprendre à ne plus être la proie facile de cette peur. Vous pouvez extirper radicalement vos craintes en vous unissant de coeur et d'esprit avec la présence divine qui réside en vous. En apprenant à aimer Dieu et tout ce qui est bon et en faisant confiance à Dieu sans réserve, vous surmonterez toute crainte, vous serez un homme libre.

Comment elle s'affranchit d'une peur panique

Il y a plusieurs années, une jeune fille que je ne connaissais pas me téléphona à mon hôtel à New York. «Mon père est mort récemment, dit-elle. Je sais qu'il a caché une somme importante quelque part dans la maison. Mais je ne connais pas l'endroit. J'ai beaucoup de soucis, je suis même désespérée. J'ai un besoin urgent de cet argent pour vivre, et je ne peux pas le trouver.»

Comme cette jeune fille ne savait pas utiliser à son profit ses forces inconscientes, je lui promis de prier pour elle et lui demandai de venir me voir le lendemain.

Dans la nuit qui suivit cet appel, je fis un rêve. Un homme me dit: «Lève-toi et écris ce que je vais te dire, car demain, tu verras Anna, ma fille.»

Je m'éveillai et me rendis à tâtons à mon bureau, fouillai le tiroir pour y chercher du papier à lettres de l'hôtel et me mis à écrire sous la dictée. Je suis absolument certain que, de tout ce que j'ai écrit sur le papier, rien n'était de moi: ni de moi, Joseph Murphy, qui dormais à moitié, ni de mon subconscient, qui était encore sous l'empire du rêve. Je crois que l'auteur de ces lignes était le père de la jeune fille que je devais rencontrer le lendemain.

Aujourd'hui encore, je suis fermement convaincu que le père, agissant par-delà ce qu'il est convenu d'appeler la mort, m'avait donné dans le moindre détail les indications sur l'endroit où l'argent et les valeurs étaient cachés ainsi que sur les démarches à accomplir pour placer cette fortune, et bien d'autres choses encore. Plus tard, ces indications se sont révélées absolument exactes.

Le lendemain, je rencontrai donc Anna comme convenu. Je la reconnus immédiatement. C'était exactement la jeune fille que j'avais vue en rêve la nuit précédente. Cela n'est pas aussi étonnant que l'on pourrait le penser. Notre subconscient fait surgir de ses profondeurs des contenus compris et connus en tant que faits ou expériences d'ordre subjectif, mais échappant à la conscience.

Cette jeune fille souffrait effectivement d'une peur panique. Une telle panique aurait pu être évitée, car la jeune fille savait, dans son subconscient, où la fortune se trouvait. Elle aurait dû faire appel avec confiance à son subconscient, et elle aurait sans aucun doute reçu une réponse. Néanmoins, cette expérience lui fut profitable, car elle apprit à connaître les lois de l'esprit; depuis lors, elle s'est littéralement métamorphosée. Naguère anxieuse et maladroite, elle est devenue une jeune femme libre et en pleine possession de ses forces spirituelles.

Libérée de la peur par la prière

Une jeune femme avait l'intention de s'installer à New York comme professeur de musique. À cette fin, elle commença par ouvrir un studio. En même temps, elle entreprit une campagne publicitaire fort coûteuse. Néanmoins, des semaines après l'ouverture, elle n'avait toujours pas un seul élève.

La raison en était bien simple. Elle ne s'attendait qu'à un échec. D'une part, elle avait peur, étant encore totalement inconnue, de ne pas avoir d'élèves; d'autre part, elle craignait de ne pas être à la hauteur de sa tâche. Dans cette peur résidait la cause de tous ses soucis.

Elle ne pouvait continuer ainsi. Elle s'en rendit compte et commença par modifier fondamentalement son attitude. En éliminant consciemment tous ses doutes et toutes ses craintes, elle vit apparaître ses chances de débutante dans l'enseignement de la musique sous un jour nouveau: nombreux étaient les étudiants de musique pouvant profiter de ses connaissances et capacités. Il lui suffisait de trouver des élèves, et rien ne ferait plus obstacle à son succès professionnel. Sur la voie du succès, la technique décrite ci-après fit des miracles.

Deux fois par jour, elle s'imaginait en train d'enseigner à des élèves enthousiastes et satisfaits de son enseignement. Elle jouait le rôle d'une actrice dans une pièce qu'il faudrait intituler «Agis comme si c'était toi, et ce sera toi». Elle avait le sentiment d'être le professeur de musique réputé qu'elle voulait devenir. Elle jouait ce rôle en imagination comme la concrétisation de son idéal. De la sorte, elle concentra sur son idéal toute son attention, toute sa force, tout son être. En continuant ainsi, non seulement elle s'identifia à son rôle, mais ce rôle devint peu à peu une part d'elle-même, jusqu'à une perfection telle qu'elle parvint à réaliser objectivement ce qu'elle avait imaginé et ressenti sur le plan subjectif. Bientôt, elle eut plus d'élèves qu'elle ne pouvait en accueillir et dut engager un assistant. Sa vie devint telle qu'elle l'avait imaginée.

Un jardin lui rendit force et courage

En 1958, je fis une série de conférences au Cap en Afrique du Sud. L'un de mes auditeurs, avocat réputé, comme il était question du pardon, attira mon attention sur un article paru dans un journal nommé *Argus*. Voici un résumé de cette publication.

Le lieutenant-colonel I.P. Carne y racontait sa vie de prisonnier de guerre en Corée. Cet officier britannique y avait passé un an et demi en détention cellulaire, dans des conditions si pénibles que les médecins qui le soignèrent après sa libération ne pouvaient s'expliquer comment il avait survécu. Malgré ce sort amer, il avait réussi à ne pas éprouver de haine et à garder vivante l'image agréable du monde extérieur qu'il espérait bien retrouver. Sans cesse il avait en imagination traversé son jardin et entendu sonner les cloches tout près de chez lui; ces cloches symbolisaient le retour de sa longue captivité et lui souhaitaient «bienvenue au pays» et paix.

Le lieutenant-colonel Carne disait littéralement: «C'est en me représentant cette scène que je parvins à me maintenir spirituellement en vie. La promenade dans le jardin signifiait pour moi le retour vers ceux que j'aimais. Cette représentation ne me quitta pas un seul instant.»

Dans sa situation, beaucoup se seraient sans doute abandonnés à la haine et à une rancune absurde. Mais lui trouva secours dans la vision d'une vie plus belle. Il se représentait concrètement son retour dans sa famille. Il en ressentait de l'émotion et de la joie. Dans son imagination, le jardin qui entourait sa maison était en fleurs, il y voyait les plantes croître et les fruits se former. Derrière la porte d'entrée, sa famille l'attendait. Il vivait tout cela par l'imagination et les sentiments. D'autres, dans une telle situation, eussent sans doute perdu la raison ou même la vie. Mais sa vision le sauva, cette vision dont il disait expressément qu'elle «ne l'avait pas quitté un seul instant».

Le grand secret du lieutenant-colonel Carne résidait dans un état d'esprit selon lequel la plus grande misère, l'avilissement et les tourments ne pouvaient rien contre lui. Jamais il n'abandonna son rêve pour se réfugier dans des pensées négatives ou des monologues destructifs; il y resta toujours fidèle. De retour en Angleterre, il se rendit compte de l'importance de cette profonde vérité, à savoir que dans la vie, nous suivons le chemin tracé par notre vision.

Libéré de son complexe de culpabilité et de sa peur

Un jeune homme ayant assisté à mes conférences au Centre des sciences humaines de San Francisco m'adressa la parole en ces termes: «Je suis tourmenté par des états d'anxiété dont j'ignore la cause. À tel point que la nuit je suis baigné de sueur et qu'à mon réveil, je tremble de tout mon corps.»

Il souffrait souvent de crises d'asthme accompagnées de spasmes. Mais, au cours de la conversation, il apparut qu'il souffrait de troubles affectifs sérieux. Depuis des années, il haïssait son père pour avoir légué la majeure partie de sa fortune à sa soeur, et non à lui.

Cette haine funeste avait donné naissance à un sentiment de culpabilité dans son subconscient. À la culpabilité venait s'ajouter inévitablement la peur du châtiment, inconsciente elle aussi. Il s'agissait d'un cas vraiment typique de conflit intellectuel et affectif, qui se termina par une névrose grave. Ses complexes se traduisaient physiquement par une forte tension artérielle et des crises d'asthme. La peur est à l'origine de maladies et de douleurs. L'amour et la bonne volonté, par contre, apportent santé et paix. Le complexe de culpabilité et la peur de cet homme se manifestaient dans les symptômes de ses maladies. Cet homme était crispé; il lui manquait la paix intellectuelle et spirituelle. Il lui manquait la détente qui aurait mis fin à sa crispation.

Il se rendit compte que la cause du mal résidait en lui-même. Elle résidait dans la haine qu'il vouait à son père, dans son sentiment de culpabilité, dans la condamnation qu'il portait sur lui-même et dans le châtiment qu'il s'imposait. Et, comme son père n'était plus de ce monde depuis longtemps, il dut aussi reconnaître que sa haine n'empoisonnait que lui-même.

La guérison de cet homme exigeait d'abord un acte conscient de pardon. Il se pardonna à lui-même. Pardonner signifie dans ce contexte donner, se défaire de quelque chose. Ce jeune homme put se débarrasser de son complexe de culpabilité et de peur grâce à la prière suggestive suivante: «Je pardonne à mon père d'un coeur sincère. Il a agi comme il jugeait bon d'agir. J'approuve ce qu'il a fait. Je lui souhaite paix, joie et harmonie. Je suis sincère. Je dis ce que je pense.»

À mesure que la blesure de son âme guérissait, son état de santé s'améliora. Les crises d'asthme devinrent plus rares, puis cessèrent; la tension artérielle redevint normale. Cet homme vit aujourd'hui sans la moindre peur.

Elle cessa de se poser de faux problèmes

Une femme m'écrivit en ces termes: «Je ne sais que faire. Je recule devant la moindre décision. Dois-je changer d'emploi? Dois-je garder ma maison ou la vendre? Dois-je épouser l'homme que je fréquente? Il faut que je me décide. Mais comment?»

Ces questions faisaient pressentir toute l'ampleur de son désarroi. Cette femme avait peur de prendre une mauvaise décision, et cette peur lui enlevait la possibilité de prendre des décisions justes. En outre, sa peur trahissait sa méconnaissance de l'interaction des forces spirituelles sur le plan conscient et inconscient.

Je lui expliquai donc qu'elle pouvait agir consciemment sur son subconscient et que celui-ci, ayant accepté une idée, entreprendrait immédiatement de la réaliser par le truchement des forces intellectuelles et spirituelles, qui sont illimitées. Cette femme accepta mon explication et comprit aussi qu'il dépend seulement de notre esprit de mettre nos forces inconscientes au service d'idées utiles ou nuisibles, bonnes ou mauvaises.

«Je suis désemparé!» et «Je ne sais que faire, je ne m'y retrouve plus!» — voilà des exemples de suggestions négatives éliminant toute possibilité de prendre une décision juste. Ces expressions ont leurs causes et ne restent pas sans effets. Elles conduisent à une sorte de blocage intellectuel et spirituel. Il fallait commencer par là. Ainsi cette femme parvint-elle à une première décision clairement réfléchie. Elle renonça aux façons de parler du genre précité et prit conscience du fait que la sagesse infinie habitant son subconscient lui inspirerait la décision adéquate.

À cette fin, elle pria comme suit: «Dieu, ou la sagesse infinie, est omniscient. Mon subconscient participe à cette sagesse infinie. Aussi me mènera-t-il à des décisions justes. Que je conserve ma maison ou que je la vende, que je change d'emploi ou non, que je me marie ou non, Dieu me guide et connaît la bonne réponse. Je me confie à lui et à sa sagesse infinie, qui connaît mes aptitudes et mes besoins. Mon bonheur est dans la main de Dieu, et Dieu m'accorde sa bénédiction.»

Aucune de ses questions ne resta sans réponse. Elle accepta l'offre d'un nouvel emploi et épousa l'homme qu'elle fréquentait. Cet homme, en fait, était son nouveau patron. Ils vivent ensemble dans sa maison. Les diverses questions se tenaient, la réponse fut complète et parfaite.

Pensez-vous juste?

Votre vie est l'expression extérieure de vos habitudes de pensée. L'action est l'extériorisation de la pensée. Si vous pensez juste, vous agissez juste. Mais pensez-vous de manière juste, sage, constructive, positive à l'égard de la vie? Selon la réponse que vous donnez à cette question, vous saurez si vous pensez juste.

Si vous tentez de résoudre un problème particulier en demandant à être guidé intérieurement, l'essentiel est de ne pas passer sans le remarquer à côté d'un tremplin qui s'offre à vous. Vous n'avez également aucune raison de refuser des possibilités à portée de votre main, parfois même agréables, pour réaliser vos désirs. Dans tous les cas, il faut éviter de vous barrer vous-même la route. Concentrez-vous sur l'idée qu'il y a une solution. Vous pouvez partir consciemment du principe que votre pensée active les forces dynamiques de votre subconscient, qui sait tout, voit tout et connaît le moyen de satisfaire vos désirs et de trouver la bonne solution.

Optez pour la confiance et la pensée juste

La Bible a déjà mis en évidence la possibilité et la nécessité de choisir aujourd'hui qui on veut servir. Effectivement, la clé de la santé et du bonheur, de la paix et de la prospérité est à la portée de chacun, chacun ayant la possibilité de choisir. Qui apprend à penser juste n'optera plus pour une vie de pauvreté, d'étroitesse, de malheur et de misère. Qui apprend à penser juste optera au contraire résolument pour le bonheur et la paix, la sagesse et la prospérité.

Cette décision étant définitivement prise, elle s'imprimera sur votre subconscient, et celui-ci vous aidera par sa puissance et sa sagesse infinie. Vous serez guidé de l'intérieur. Vous serez alors sur la voie de la réussite.

Avancez pour vous-même, sans le moindre doute ni la moindre hésitation, d'une manière positive et convaincue: «Il n'y a qu'une puissance créatrice, celle de mon moi profond. Chaque problème trouve sa solution. Je le sais, je le crois et je le maintiens.»

En revendiquant pour vous ces vérités, vous bénéficierez dans toutes vos entreprises d'une bonne ligne de conduite, et des miracles se produiront dans votre vie.

Comment il triompha du sentiment d'être désavantagé

La frustration est avant tout un état intérieur. Ne se sentent frustrées que les personnes ayant une vie affective perturbée, vivant dans un état de confusion intellectuelle et allant par conséquent à l'encontre des objectifs qu'elles se sont fixés. Le sentiment de frustration repose toujours sur la peur. Qui se croit gêné, bloqué, voire voué à l'échec par des circonstances extérieures se prive lui-même de la possibilité de réaliser ses désirs. Celui qui croit cela pense à tort que le monde extérieur et son entourage sont plus forts que lui.

Un ingénieur d'un certain âge constitue à cet égard un exemple typique. «J'avais, me dit-il, travaillé plus de quinze ans pour mon patron. En dépit de tous mes efforts, je n'ai jamais eu d'avancement. J'ai dépensé mes capacités et ma force au mauvais endroit. Je n'ai pas été gâté par la vie, c'est bien simple, je suis frustré! Je n'éprouve que du mépris pour mon patron, ce misérable ignorant. Il ne me restait plus qu'à m'en aller. Mais je n'ai pas de chance, mon nouvel emploi est encore plus lamentable. Je suis tombé du purgatoire en enfer!»

Cet ingénieur craignait que sa race ne l'empêchât de faire une véritable carrière. Toutes ses entreprises portaient la marque de cette peur. Comme il me parlait très franchement, j'appris bientôt la cause de cette anxiété. Il avait beaucoup souffert de l'éducation reçue d'un père puritain et autoritaire. Il éprouvait du ressentiment à l'égard de son père et, depuis des années, ne lui avait même plus écrit. Inévitablement, cette animosité engendra un complexe de culpabilité et de peur. Il se disait: «Dieu me le revaudra, j'en suis certain.»

La révolte intérieure de cet homme contre son père aboutit à une rébellion contre toute autorité. À partir du moment où la révolte et la protestation devinrent pour lui des habitudes, des fautes et des erreurs devaient survenir dans sa vie. Mais il ne s'en rendait pas responsable, il en accusait ses supérieurs, en particulier son patron. Il leur imputait tout ce que ses pensées et impulsions avaient d'inacceptable pour la simple raison qu'ils personnifiaient à ses yeux l'autorité contre laquelle il se révoltait.

Au fil de nos entretiens, je lui fis progressivement comprendre qu'il devait chercher la cause des injustices dont il avait victime non chez les autres, mais bien en lui-même. Ses yeux se dessillèrent. Il se rendit compte que son comportement, qui débouchait toujours sur la haine, la révolte et le mépris, n'était fondé que sur la peur et qu'il devait dominer cette peur s'il ne voulait pas continuer à faire obstacle à l'épanouissement de sa personnalité et de ses aptitudes professionnelles. Pour obtenir un changement, il décida de prier matin et soir en ces termes: «Je souhaite à tous ceux qui travaillent comme moi dans cette usine santé et bonheur, paix et satisfaction professionnelle. La direction me félicite de mon travail. Je grave ces mots dans mon esprit. Je sais que cette vision se réalisera. Je me montre aimable, je suis animé de la volonté de coopérer effectivement et sans arrière-pensée. J'observe la règle d'or et me comporte envers chacun comme je voudrais que l'on se comportât envers moi. Tout ce que j'entreprends, je le fais sous la direction de la sagesse divine qui m'accompagne sur toutes mes voies dans mon intérêt.»

Il s'imprégna systématiquement et régulièrement de ces mots. Dans ce nouvel état d'esprit il n'eut plus de raison de se sentir frustré, car tout dans sa vie prit une tournure favorable.

En cinq mois, cinq emplois

J'avais décidé de m'occuper tout particulièrement d'un jeune homme qui, je dus le constater, avait peur non seulement de ses semblables, mais de la vie même et de son avenir. Sous l'empire de cette peur de la vie et du manque de confiance en lui-même, il se posait en défenseur d'idées extrêmement dangereuses. Il pensait par exemple qu'un emploi en valait un autre, tout en étant sûr de n'être apprécié ni du chef de son département ni des ouvriers et d'être mis à la porte sous peu. Ce jeune homme souffrait d'insomnies et d'accès de neurasthénie, et cherchait consolation dans l'alcool. Paresseux, superficiel, rustre et manquant de maturité, il évitait d'assumer la moindre responsabilité. Il n'avait aucun rapport avec la vie. La clairvoyance nécessaire lui faisait défaut, mais aussi et surtout un but.

J'essayai de lui ouvrir les yeux et de lui faire adopter une autre attitude. Une peur profondément enracinée en lui pesait sur sa vie affective et exerçait une influence décisive sur tout ce qu'il pensait et faisait. Ou n'était-ce pas justement cette peur qui lui faisait voir la vie sous son jour le plus sombre et lui empoisonnait l'existence, le rendant de jour en jour plus mélancolique et plus amer? À quoi servaient, dans une telle situation, les bonnes nouvelles qu'il recevait de temps à autre de sa famille? Que pouvaient-elles lui apporter sinon quelques instants fugitifs de gaieté dans sa vie neurasthénique et dépressive? Et pourquoi tout cela? Rien n'était inéluctable.

Sur ma proposition, il suivit des cours du soir pour se préparer à une carrière commerciale. Dans cette école, dont le directeur était un homme expérimenté, il reçut une solide formation. Pour la première fois de sa vie peut-être, il fit preuve d'ambition et d'initiative personnelle. La prière le soutint dès le début. Il pria Dieu régulièrement de le guider dans toutes ses entreprises et acquit la ferme convition que, avec l'aide de Dieu et guidé par lui, il parviendrait à trouver une bonne solution à tous ses problèmes.

Peu à peu, il cessa d'être celui que j'avais rencontré et fit peau neuve: il devint persévérant, enthousiaste et ambitieux. Heureux et gai, bien équilibré sur le plan intellectuel et affectif, ainsi le trouvai-je lors d'une récente rencontre. Il est maintenant directeur d'une succursale où il fit ses débuts comme simple ouvrier.

Cet homme a fait l'expérience de ce qu'est ou devrait être le vrai sens de tout enseignement, de toute éducation, qu'ils soient dispensés par l'État, par une institution religieuse ou par l'initiative privée. L'objectif est une attitude positive de l'individu envers son entourage, ses semblables et la vie avec toutes ses vicissitudes. La première étape consiste à bannir la peur qui nous menace et à modifier notre état d'esprit dicté par la peur.

Comment réaliser vos désirs

Personne ne peut servir deux maîtres. Personne ne peut espérer réaliser son voeu le plus cher s'il croit dans le même temps à l'existence d'une puissance capable de faire échec à ses efforts. Qui pense ainsi suscite en lui-même un conflit intérieur. Il est en désaccord avec lui-même, indécis, se mine intérieurement et végète sans atteindre son but. Nous devons nous réconcilier avec nous-mêmes et agir en conséquence. L'infini est fondamentalement un. L'existence de deux infinis est impensable. Ils se disputeraient mutuellement l'infinité. Ils se neutraliseraient ou se détruiraient réciproquement. L'univers serait un chaos et non un cosmos. L'unité de l'esprit est une nécessité de la logique et de la précision mathématiques, car il n'y a pas de camp opposé à la seule et unique puissance de l'esprit, qui est de nature divine. S'il avait une puissance capable de rivaliser avec Dieu ou avec l'unité infinie, Dieu cesserait d'être le principe suprême et tout-puissant.

Vous n'avez qu'à jeter un regard autour de vous pour vous rendre compte de quelle confusion chaotique sont saisis ceux qui croient à deux puissances opposées. Sans cesse divisés mentalement du fait qu'il reconnaissent deux maîtres, ils portent en eux un conflit qui désintègre leurs forces et les paralyse. Apprenez à aller tout droit sans hésitation et sans détour. Croyez seulement en un seul Dieu tout-puissant et qui vous guide. Ayez courage et confiance: Dieu vous a inspiré le souhait qui vous tient à coeur et vous montrera aussi comment le réaliser.

Les résultats d'un inventaire personnel

Vous sentez-vous incompris? Souffez-vous de mésententes, de contrariétés, de frictions dans vos relations avec des tiers? Les difficultés d'adaptation de ce genre, naturellement frustrantes, ont leur cause en vous-même. Vous êtes — au sens figuré bien entendu — en mauvaise compagnie mentale. Autrefois, c'était votre mère qui s'efforçait de vous mettre à l'abri des mauvaises compagnies et vous mettait en garde; et si vous ne l'écoutiez pas vous receviez une saine volée. Mais maintenant, il vous appartient de vous protéger du mal. Et ceci commence avant tout sur le plan intellectuel. Il faut éviter de descendre dans les bas-fonds obscurs de votre esprit, où vous risquez de rencontrer la peur et la mauvaise volonté, le mépris et la haine, l'hostilité et le chagrin. Une telle fréquentation intellectuelle a des effets beaucoup plus funestes que la compagnie de voleurs. Vous y perdriez votre équilibre, votre santé et votre paix intérieure.

Décidez une fois pour toutes de ne plus traîner dans les bas-fonds de votre esprit. Vous n'avez rien à faire avec les éléments que vous y rencontrez, pas même sous la forme du monologue, pas même avec la dernière de vos pensées. Bien au contraire, prenez l'habitude de vous tenir sur la face ensoleillée de votre esprit. Vous y rencontrerez des compagnons toujours aimables et de valeur intellectuelle constante ayant pour noms: Confiance, Paix, Foi, Amour, Joie, Bonne Volonté, Santé, Bonheur, Providence, Intuition, Plénitude spirituelle et matérielle. Le choix de vos compagnons et partenaires intellectuels revêt la plus grande importance. Dans la vie aussi, vous ne laissez pas au hasard le soin de choisir vos amis et connaissances, vous les choisissez vous-même selon des critères tels que: honnêteté, fidélité, propreté, intégrité humaine en général. Ce sont ces mêmes critères que vous devez adopter pour votre esprit.

D'ailleurs, vous ne choisissez pas seulement vos amis; vous choisissez aussi votre travail et vos professeurs, vos livres et vos vêtements, votre logement et votre nourriture. Vous choisissez librement et optez pour l'un ou l'autre, pour ceci ou cela. Mais par votre choix, vous révélez votre préférence, qu'il s'agisse du choix d'un chapeau, d'un livre ou de votre nourriture. Ceci est évident pour tout le monde.

Il faut aussi choisir sur le plan spirituel. Faites un inventaire personnel de votre esprit. Éliminez tout ce qui s'y trouve de négatif et conservez ce qui est positif dans votre choix, à savoir santé, bonheur, paix et prospérité.

La compréhension vous épargne bien des tourments

Débarrassez-vous le plus rapidement possible des convictions et préjugés faux et déplacés pour trouver le chemin de la vérité. La vérité vous apporte la liberté. Vous n'êtes pas la victime impuissante de vos cinq sens, comme on le croit si souvent à tort. Il est tout aussi erroné de penser que vous êtes soumis et livré inconditionnellement aux circonstances extérieures. Vous pouvez modifier votre situation en modifiant votre état d'esprit. Ce que vous pensez et ressentez détermine votre avenir, voire l'anticipe littéralement. Ayant compris cette vérité, vous ne pouvez plus rejeter sur des tiers la responsabilité des échecs, de la misère et de la souffrance que vous subissez, ni invoquer en votre faveur la malchance, la «poisse» dont on parle familièrement.

Ce que vous pensez, sentez, croyez et admettez — consciemment ou inconsciemment — par la pensée détermine l'orientation de votre vie ainsi que votre situation et vos expériences. Il faut que vous vous en rendiez bien compte, vous ne pouvez vous y dérober. Mais si vous parvenez à adopter cette attitude positive devant la vie, vous serez à l'abri de la peur et des ressentiments, vous ne songerez plus à rendre les autres responsables de ce qui vous arrive. Ce ne sont pas les autres, ce n'est pas la «poisse»: il appartient à vous seul de modifier votre vie.

Vous êtes vous-même l'artisan de votre bonheur

Des millénaires se sont écoulés à travers les péripéties de l'histoire. Mais l'homme, pour l'essentiel, n'a pas changé. Il s'est installé dans le monde et a cherché un appui hors de lui-même. Par contre, dans son monde intérieur, il s'est installé aussi mal que possible. Il a vécu dans des conditions affectives et spirituelles extrêmement difficiles sous l'effet de la peur, de la haine, de la jalousie, des ressentiments et dépressions de toutes sortes. Ce fait est imputable avant tout à l'hérésie fatale selon laquelle des tiers ou des puissances extérieures décideraient du bonheur et du malheur de l'individu. Les hommes ont cru trop longtemps être les victimes d'un destin inexorable ou les jouets du hasard — des malchanceux plutôt que des «veinards» — ainsi que de puissances hostiles à leur prospérité. Aujourd'hui encore, trop nombreux sont ceux qui ont la tête pleine d'idées étranges et de convictions superstitieuses, de craintes profondément enracinées et de philosophies compliquées basées sur l'existence d'êtres diaboliques et de puissances maléfiques.

En réalité, la pensée est la force dynamique et créatrice de l'homme. Ses habitudes de pensée le conduisent à la prospérité ou le condamnent à la misère. Aussi devons-nous une fois pour toutes nous débarrasser consciemment de toutes les idées fausses, et nous rendre compte que nous avons le pouvoir de rendre notre vie heureuse et harmonieuse ou d'en faire un enfer.

Nous pouvons influencer positivement ou négativement notre subconscient. Le subconscient est impersonnel et en tout cas indifférent à la morale, il ne porte pas de jugement et ne se situe pas dans le cadre des normes éthiques. Si nous pensons des choses mauvaises, elles s'inscrivent donc dans notre subconscient, celui-ci leur donnant expression du fait de sa puissance dynamique et créatrice: elles se concrétisent dans la vie de l'individu. Si, par contre, nous orientons notre pensée vers des choses bonnes et des objectifs positifs, nous en serons récompensés par la vie en vertu du même dynamisme qui régit notre subconscient, et nous serons heureux. Ainsi le veut le principe de causalité, qui a valeur universelle indépendamment de la volonté de l'individu.

Châtiment et récompense

Vous serez «récompensé» ou «châtié» dans votre vie selon votre façon de penser. Si vous prenez une mauvaise décision, vous suscitez une réaction correspondante de votre subconscient, qui enregistre votre pensée avec une exactitude mathématique, et vous devrez supporter vous-même les conséquences de votre fausse décision. Chaque cause a son effet, et chaque effet a lui-même un effet rétroactif. La nature entière est soumise à cette loi. Pour agir juste, il faut d'abord penser juste.

Ce n'est pas Dieu qui vous châtie ou se venge sur vous. Vos expériences sont conformes aux lois qui régissent la vie consciente et inconsciente de votre esprit. Vous ne pouvez pas modifier vous-même ces lois, elles échappent à votre influence personnelle. Mais étant en mesure de modifier le contenu de votre pensée, vous déterminez par là les impressions s'inscrivant dans votre subconscient et les conséquences en résultant. Pensez juste et votre vie aura son juste cours. Vos désagréments vous apparaissent — ce qui est d'ailleurs une erreur complète — sous l'aspect du châtiment ou d'une vengeance divine jusqu'au jour où vous connaissez les lois régissant la vie de votre esprit. Ayant compris comment votre esprit fonctionne, vous devriez être prémuni contre une telle opinion. Est-ce que vous pouvez par exemple rendre un lac ou une quelconque mauvaise volonté responsable — admettons ce cas — de la noyade de votre ami qui ne savait pas nager? Vous ne pouvez accuser le lac de s'être vengé car l'eau est vraiment un élément impersonnel.

«J'envoyais mon âme sonder l'invisible
pour savoir ce qu'est la vie après la mort;
mais bien vite elle vint me retrouver,
et me dit: «Je suis moi-même le ciel et l'enfer.»

Omar Khayyam

Le lieu secret de la protection

Voici mon conseil: Mettez-vous aussi souvent que possible dans un état de paix intérieure et de sérénité, et méditez alors ces grandes vérités éternellement valables qui vivent dans le coeur de tous les hommes. Dites avec une profonde conviction la prière suivante. Essayez d'en faire une habitude et une source de joie. Si vous y parvenez, vous vous sentirez rajeuni, animé de forces nouvelles, frais et entreprenant, et vous serez pénétré d'une énergie intellectuelle sans précédent dans votre vie.

Qui demeure à l'abri d'Elyôn et loge à l'ombre de Shaddaï... (Ps. 91: 1).

«... Je demeure sous la protection du Très-Haut. Je reste sous sa protection. Le lieu secret de cette protection se trouve dans la profondeur de mon propre esprit. Toutes mes pensées viennent de ma bonne volonté et visent à l'harmonie intellectuelle, à la paix intérieure. Mon esprit, mon âme sont un refuge du bonheur, de la joie et de l'espoir. J'y trouve constamment refuge, j'y suis à l'abri et en sécurité. Quelles que soient mes pensées, elles doivent toujours concourir à ma joie, à ma paix et à ma prospérité. Mes actions et ma vie, mon être entier trouvent leur sens dans la bonté humaine et dans la fraternité avec l'humanité entière.

«Les hommes auxquels je pense sont tous des fils de Dieu. Je vis en paix avec les miens et avec l'humanité entière. Ce que je souhaite de bon pour moi, je le souhaite aussi à mes semblables. Je vis sous la protection de Dieu, maintenant et pour toujours, et là règnent la paix et le bonheur.»

RÉSUMÉ

1. Extirpez en vous toute peur en restant toujours conscient — mentalement, spirituellement et sentimentalement — de la présence de Dieu qui réside en vous.

2. La puissance créatrice de votre subconscient trouve à chaque problème la solution adéquate.

3. La haine entraîne des sentiments de culpabilité, la crainte du châtiment et même un besoin de se châtier soi-même. Pardonnez à vos semblables, c'est alors seulement que vous serez libre.

4. La peur de l'échec ouvre la porte toute grande à l'échec. Comptez sur le succès, et le succès viendra.

5. Si vous êtes dans la détresse ou dans le besoin, imaginez avoir atteint le but recherché et restez fidèle à cette image. Vous parviendrez au but fixé.

6. La peur est à l'origine de bien des maux physiques. Quiconque est pénétré de bonne volonté et d'amour se libérera de tels maux.

7. Ne dites jamais: «J'ai peur!» ou «J'en ai assez!» Votre subconscient vous prendrait au mot et vous seriez votre propre prisonnier.

8. Si vous pensez juste, vous agissez juste.

9. La clé de la santé, du bonheur et de la paix est à la portée de chacun. Vous pouvez choisir librement. Choisissez le bonheur.

10. Personne n'a de raison de se sentir frustré. Ayez confiance en Dieu. Dieu, qui vous a inspiré un souhait, vous indiquera aussi comment le réaliser. Rien ne peut s'opposer à la toute-puissance de Dieu.

11. Ayez courage et confiance, confiance en vous-même et dans les forces endormies en vous. Le changement de votre état d'esprit peut tout changer dans votre vie.

12. Qui sert deux maîtres vit en conflit permanent et ne parvient à rien. Ne reconnaissez qu'une puissance au-dessus de vous: le Dieu unique. Le caractère exclusif de votre orientation intellectuelle vous préserve de tout déchirement intérieur et vous rend fort.

13. La fréquentation de pensées nocives est pour vous plus lourde de conséquences que celle d'une mauvaise société. Faites maintenant l'inventaire et éliminez toute pensée négative.

14. Ce que vous pensez et ressentez détermine votre destin. Si celui-ci ne prend pas la tournure désirée, n'en attribuez pas la faute à d'autres: c'est vous, et vous seul, qui êtes fautif.

15. L'homme fait lui-même de sa vie un paradis ou un enfer selon sa manière de penser et les conséquences qui en résultent.

16. Vous serez «récompensé» ou «châtié» dans votre vie selon la manière dont vous pensez. La loi de causalité a une valeur universelle. Si vous pensez le bien, vous attirerez le bien. Si vous pensez le mal, il apparaîtra dans votre vie.

CHAPITRE 7

La loi merveilleuse de la sécurité

Manque de sécurité et d'assurance chez l'un, saine confiance en soi et optimisme chez l'autre — ce contraste évident est essentiellement lié à des conceptions de la vie diamétralement opposées. Un médecin et savant de premier plan, qui enseigne à l'Université de Californie, me dit un jour qu'il n'avait jamais rencontré de patient doué d'une solide confiance en soi qui ait souffert de complexes d'anxiété, de nervosité chronique ou de troubles mentaux d'une nature quelconque. Tout savant qu'il était, il n'expliquait pas ce phénomène par des principes purement scientifiques; il fondait au contraire son assurance intérieure sur la foi, et plus exactement sur une foi en Dieu inébranlable à travers toutes les péripéties de la vie.

Naturellement, vous devez savoir que vous n'êtes pas impuissant. Vous disposez de sources d'énergie intérieure infinies, vous êtes fort. Telle doit être la conviction de chacun. Si vous n'en prenez pas conscience, vous serez porté à surestimer tous les problèmes et toutes les difficultés que vous rencontrerez dans la vie. Vous attribuerez — à tort — à vos problèmes l'importance que vous vous refusez à vous-même ou que vous n'osez pas vous attribuer. Le sentiment que vous manquez de sécurité repose donc sur une erreur fondamentale: vous confondez effet et cause. Vous prenez à tort les circonstances extérieures pour des causes alors qu'elles ne sont en réalité que des effets.

Comment parvenir au sentiment de sécurité intérieure

Tout d'abord, il vous faut rendre compte qu'il n'y a pas de sécurité véritable — sauf dans le sentiment que vous avez d'être attaché à Dieu, source de tous bienfaits. Mais si vous mettez en pratique les principes exposés dans le présent livre, vous pouvez acquérir un sentiment de sécurité intérieure qui vous aidera à vivre et vous rendra heureux. Les hommes éprouvent tous le besoin de sécurité. Tous aspirent à s'unir avec la puissance infinie. Unissez-vous à elle, maintenant, aujourd'hui! Vous vous sentirez tout de suite plus fort.

Vous baignez sans fin dans l'océan infini de la vie. L'esprit infini vous environne et vous imprègne. Vous agissez et pensez en lui. Votre être entier se trouve en lui. Dieu ou le pouvoir infini est tout-puissant. Unissez-vous consciemment et intuitivement à lui, et vous l'emporterez sur toutes les craintes qui sommeillent en vous ou vous oppriment.

L'infini repose sereinement en vous. C'est là le véritable état de votre esprit. Vous participez à la puissance et à la sagesse de l'esprit infini et bénificiez de cette participation dans votre vie à partir du moment où vous prenez conscience du fait que Dieu et le Divin existent en vous et qu'une union spirituelle vous lie. Si vous consentez à cette union, vous ressentirez une sécurité intérieure qui vous rendra heureux, et vous découvrirez une paix surpassant l'entendement humain.

Sa fortune se jouait dans ce procès

Je voudrais maintenant vous rapporter un cas qui, à l'époque, me tenait très à coeur car il concernait l'un de mes amis. Celui-ci était engagé dans un procès civil extrêmement long et compliqué, qui lui avait déjà coûté beaucoup en frais de justice et honoraires d'avocat. Il avait peu de chances de gagner. Son avocat lui avait fait savoir qu'il risquait fort de perdre. Or, s'il perdait, il allait être, du jour au lendemain, plus ou moins dépourvu de ressources. Cet homme était désespéré. Il m'expliqua son cas en détail et conclut en disant que, s'il perdait ses moyens de subsistance, il ne lui restait plus qu'à mettre fin à ses jours.

J'entrepris de lui expliquer que des réflexions et propos aussi désespérés ne pouvaient avoir que des conséquences néfastes. Le procès s'en trouverait sans aucun doute retardé et même influencé défavorablement, car il s'agissait des pires suggestions négatives qui soient. Chaque fois qu'il se laissait aller à ces pensées et les exprimait (ce qui arriva à plusieurs reprises), il priait en quelque sorte contre ses intérêts — au lieu de prier en sa faveur.

Je lui posai la simple question suivante: «Que dirais-tu, si je pouvais t'assurer en cet instant que le jugement a été prononcé en ta faveur?

— Je serais fou de joie, me répondit-il spontanément, et j'aurais une reconnaissance éternelle. Savoir que je serais délivré de cet effroyable cauchemar — ce serait trop beau!»

Mon ami reprit espoir. Il sut adapter toute sa pensée à son souhait le plus cher — le succès à l'issue de ce procès. Voici le texte de la prière que je lui proposai: «Je remercie Dieu pour la solution satisfaisante qu'il a apportée à mon problème; cette solution s'annonce maintenant grâce à la sagesse et à l'aide de Dieu.»

Il dit cette prière plusieurs fois par jour. Il pria régulièrement, et en particulier lorsqu'il avait des accès de doute et de crainte face à de nouvelles difficultés ou à des revers évidents. Il étouffa immédiatement toute tendance à l'affliction en ayant recours à la prière. Ce procédé lui permit d'exclure d'autres suggestions, pensées et propos négatifs. Il réussit dès lors à se contrôler et fit de sa conviction une certitude assurée que la vérité subjective de sa pensée et de son sentiment trouverait nécessairement son expression objective.

Ce que l'on ressent finit toujours par s'imposer. Combien de fois dit-on quelque chose tout en ressentant autre chose dans son coeur. Malgré cette contradiction, c'est toujours ce que l'on sent qui s'exprime dans la vie. Ce que l'on vit intérieurement par le sentiment tend à prouver son expression objective.

Cet homme apprit, avec beaucoup de discipline, à mettre en pratique la technique qui consiste à ne jamais approuver intérieurement ce que l'on ne souhaite pas voir se réaliser dans la vie. Sa personnalité entière — ce qu'il pensait, ressentait et disait — était orientée vers un succès dans ce procès. Et ce succès vint. De source complètement inatendue, des preuves nouvelles purent être apportées en sa faveur. L'affaire fut close sans qu'il eût à subir la moindre perte financière.

Mon ami apprit donc que sa sécurité dépendait de son orientation intérieure vers Dieu ou de l'omniprésence de l'esprit, à laquelle chaque homme participe. Son exemple montre ce dont on est capable quand on est en harmonie avec la puissance infinie qui anime le monde.

Au bord de l'abîme

J'emprunte ce titre aux paroles d'un homme encore très jeune: «Je suis au bord de l'abîme, dit-il, car je suis atteint d'une maladie sanguine incurable.»

C'était là sa ferme conviction. La peur et les doutes le démoralisaient et l'empêchaient de trouver le moindre repos. À ceci s'ajoutait l'influence extrêmement nocive de ses proches qui lui rappelaient à tout moment que sa guérison prendrait beaucoup de temps si toutefois elle était encore possible. Par bonheur, le médecin traitant, un homme expérimenté, se rendit compte de la situation intenable de ce jeune homme dans sa famille et l'encouragea à s'en séparer.

Pour la première fois de sa vie, il entendit parler de l'inconscient: je lui expliquai que les déclarations négatives de sa famille ainsi que son propre pessimisme faisaient obstacle à sa guérison, et qu'il devait par conséquent s'affranchir de tout cela. Je lui fis également comprendre qu'il se sentait en danger uniquement parce qu'il ignorait que le pouvoir infini de guérir, qui l'avait créé, était aussi en mesure de le guérir. Bien entendu, il devait s'adresser d'une manière adéquate à son subconscient.

Ce jeune homme écouta mes propos attentivement, et même avec avidité. Il y vit une nouvelle chance. Je lui appris la prière suivante, qu'il devait dire lentement, avec calme, ferveur et amour.

«La sagesse créatrice m'a créé. Elle régénère maintenant mon sang. Elle a le pouvoir de guérir. Elle transforme chaque cellule, chaque globule selon le plan parfait voulu par Dieu. J'entends et je vois très distinctement devant moi mon médecin me dire que je suis guéri. J'entends sa voix que je connais bien. Il dit: «Hans, tu es guéri! C'est un miracle!» Je le sais: cette image de mon imagination vitale s'enfonce profondément dans mon subconscient, où elle prend racine et portera ses fruits. Je sais que le pouvoir infini de guérir me guérit maintenant. Il me guérit à l'encontre de toutes les preuves logiques du contraire. Je le sens, je le crois, et je suis près d'atteindre mon objectif, qui est de recouvrer entièrement la santé.»

Le jeune homme répéta cette prière quatre ou cinq fois par jour, surtout le soir avant de s'endormir. Du fait de son anamnèse et de ses anciennes habitudes, il paraissait presque inévitable que, de temps à autre, il en revînt à se remémorer ses revers répétés et le verdict de ses proches, et à se laisser miner par les soucis et le désespoir. Mais, avec le temps, il apprit à contrôler sa pensée et ses sentiments quand de telles pensées l'oppressaient. Il faisait résolument obstacle à de tels accès en usant de la formule suggestive suivante: «Je suis maître de mes pensées, de mes idées et de mes sentiments. Je dirige tout ce qui est en moi vers Dieu et vers son pouvoir de guérir. Et la semence de cette attitude lève dans l'humus de mon subconscient. Je me sens intimement lié à Dieu. Je ne pense et ne ressens qu'une chose: Mon père, je te remercie! Je pense à Dieu et le remercie chaque jour cent et mille fois.»

En l'espace de trois mois, le jeune homme se rétablit au point de paraître guéri. Rien n'a changé depuis. Grâce à la méditation et à la prière, il avait pris l'habitude de penser positivement et imposé à son subconscient dynamique et créateur son désir de guérir. Cet exemple témoigne de la vérité du mot de la Bible (Matthieu 9:22): *Ta foi t'a sauvé...*

Nous voyons donc que la sécurité ne peut être assurée par des moyens extérieurs. Elle n'est pas déterminée par le montant du compte bancaire, par la propriété foncière, par le portefeuille des valeurs. La vraie sécurité repose sur un sentiment intérieur de sécurité, celui-ci découlant de votre foi en Dieu et de la profonde assurance que vous avez de pouvoir compter toujours et partout sur l'amour de Dieu et sur la providence.

La sécurité n'est pas assurée par la loi

Aucun État, aucun gouvernement ne peut, même s'il est animé des meilleures intentions, vous garantir la paix, le bonheur, la prospérité et la sécurité. Vous ne pouvez davantage prévoir ou déterminer vous-même toutes les péripéties de votre vie et les grands événements auxquels votre vie est mêlée. Des catastrophes naturelles telles que tremblements de terre et inondations détruisent d'un jour à l'autre des villes entières et anéantissent les biens de milliers de personnes. Des guerres éclatent, des troubles politiques, des grèves. Même si l'on n'est pas directement concerné par de telles catastrophes, il faut compter sur des désavantages économiques, qu'il s'agisse de biens personnels ou de la monnaie nationale. Des tragédies économiques de dimensions internationales peuvent entraîner un krach en Bourse, et la peur d'une guerre peut dès à présent susciter dans le monde entier des conséquences économiques désastreuses.

Effectivement, les biens matériels sont éphémères. Nous pouvons être riches aujourd'hui et pauvres demain. Quelles que soient les apparences, ni votre compte en banque ni vos placements en valeurs ne peuvent vous assurer une sécurité authentique. Au fond, tout dépend de la confiance. Même la valeur d'un billet de 10 F dépend finalement de l'intégrité du gouvernement et de sa capacité à maintenir saines la monnaie et l'économie, sans parler de sa dépendance à l'égard de la situation économique internationale. Ceci est encore plus évident pour le chèque bancaire qui, le cas échéant, n'est qu'un chiffon de papier. Sa valeur ne dépend-elle pas essentiellement de l'honnêteté du signataire ou de la confiance que vous avez en votre banque?

Ce ne doit pas être nécessairement un puits de pétrole

Pour faire face aux vicissitudes et catastrophes imprévisibles, petites ou grandes, mentionnées ci-dessus, point n'est besoin de se surpasser en efforts. Consacrez chaque jour quelques minutes à ce que nous appelons la méditation et la prière scientifique. Faites-en une habitude. Vous changerez ainsi votre état d'esprit. Vous adopterez une attitude inconditionnellement positive. En d'autres termes, vous refuserez de souffrir et ne souffrirez pas, quoi qu'il arrive.

Allez votre chemin sans perdre de vue que Dieu veille toujours sur vous. Vous devez savoir et sentir que Dieu est omniprésent et vous protège. Alors — ne l'oubliez surtout pas — vous n'aurez plus aucun véritable revers à subir. Si votre puits de pétrole est épuisé, vous trouverez une autre source de revenus tout aussi lucrative.

Ancrez solidement dans votre esprit la conviction que la divine providence ne faiblit jamais. Si vous y parvenez, vous ne connaîtrez jamais la misère. Quels que soient les changements affectant votre fortune ou votre revenu, vous aurez toujours plus qu'il vous faut pour vivre heureux.

Comment il se libéra des hauts et des bas pour mener une vie équilibrée

Il y a à peine quelques semaines, j'eus un entretien avec un agent de change qui se plaignait amèrement des hauts et des bas imprévisibles de son existence. «Parfois, je fais une petite fortune à la Bourse, m'assura-t-il, mais peu de temps après, je subis de lourdes pertes. De même, je suis parfois en parfaite santé mais, périodiquement, je dois aller à l'hôpital me faire soigner les maux les plus variés. Chance et malchance se succèdent interminablement, c'est là apparemment mon sort. Ne peut-on vraiment rien faire contre cela?

— Bien sûr, on peut faire quelque chose, lui répondis-je. Il n'est vraiment pas si difficile de mener une existence équilibrée, sereine et décontractée, et de garder — économiquement parlant — sa place au soleil. Certes, la plupart des gens vivent aujourd'hui dans l'euphorie, et, au moindre revers de fortune, tombent dans les dépressions les plus profondes.» Ainsi m'efforçai-je de lui ouvrir les yeux.

Encore un point: notre vie ne serait-elle pas complètement insignifiante et vide, monotone et ennuyeuse, si elle ne nous mettait pas au défi de vaincre la concurrence et de faire des efforts? Si nous n'étions pas appelés à faire face à des péripéties imprévues et à de sérieux problèmes? Presque tous les hommes ne doivent-ils pas, au moins une fois dans leur vie, faire face à des situations contraignantes, à des nécessités exceptionnelles, à des tragédies personnelles? Néanmoins, nous pouvons orienter notre vie affective de façon à ne pas risquer une euphorie exagérée ou, inversement, le désespoir face aux revers subis.

Cet homme devait tout d'abord apprendre à gouverner sa vie sentimentale et intellectuelle. Il se rendit compte bientôt qu'en dépit des circonstances extérieures, il devait considérer la vie avec calme.

Marc-Aurèle, l'empereur romain auteur d'ouvrages philosophiques, défendait le point de vue suivant: «Rien n'arrive à un homme qu'il ne soit en mesure, de par sa nature, de supporter.» À Hawaï, on montre encore aujourd'hui aux touristes la hutte dans laquelle le grand écrivain Robert Louis Stevenson écrivit son chef-d'oeuvre *L'Île au trésor,* alors qu'il était atteint d'une tuberculose aiguë.

Je suggérai à cet homme d'assimiler la pensée suivante, qui lui procurerait sécurité et force intérieures:

Celle (la nation juste) dont le caractère est ferme conserve la paix, car elle se confie en toi. Confiez-vous en Yahwé à jamais, car Yahwé est le Rocher éternel (Isaïe 26:3-4).

«Je le sais: Mes voeux les plus chers me sont inspirés par Dieu qui réside en moi. Dieu veut mon bonheur. La volonté de Dieu est la vie, l'amour, la vérité et la beauté. J'accepte maintenant ce bien. Je suis en union avec la nature divine. Dieu s'exprime en moi. Je suis guidé par Dieu dans toutes mes entreprises. Aussi suis-je convaincu d'être bien où que je me trouve. Je fais volontiers ce que je fais. Je fais passer au second plan les opinions des hommes, car je participe par l'esprit au divin et à la sagesse divine. Dans mon esprit s'épanouit le plan parfait de Dieu. Je suis toujours dans un état d'équilibre serein et paisible, car je sais que Dieu tient à ma disposition la solution juste pour tout ce dont j'ai besoin. Le Seigneur est mon pasteur, rien ne me manquera. Je suis dynamique, je suis créateur, la force divine est en moi. Je sens en moi le rythme de Dieu. J'entends son message de joie et d'amour.

Cet homme médita chaque jour à plusieurs reprises sur ces vérités, et s'en imprégna par la prière. Grâce à sa nouvelle conception de l'homme en liaison avec Dieu, sa vie devint équilibrée et heureuse.

Comment elle surmonta revers et peur des revers

Une jeune femme vint se plaindre à moi. Son père avait réduit sa part d'héritage. «Peu avant de mourir, me dit-elle, mon père modifia son testament et légua presque tout à mon frère. Or, j'aurais dû hériter de la moitié. Maintenant, j'ai tout perdu, sauf la réserve héréditaire.»

Sans parler de la déception sentimentale, cette jeune femme souffrait profondément de cette perte financière. Elle avait également peur de l'avenir. Je lui expliquai que la foi en Dieu et la confiance dans le bien ne laissaient pas place à la peur. Mais, pour y parvenir, il fallait adopter l'état d'esprit adéquat. D'ailleurs, elle ne pouvait jamais rien perdre tant qu'elle n'acceptait pas la perte en pensée, car, en fin de compte, toutes nos expériences doivent être vécues mentalement.

Supposons que j'aie perdu ma montre. En fait, cela signifie qu'elle doit se trouver quelque part, j'ignore simplement où. Elle peut s'être détachée de mon poignet dans la rue, je peux aussi l'avoir oubliée dans une cabine téléphonique, un voleur à la tire peut me l'avoir dérobée. Mais quoi qu'il en soit, la sagesse infinie de Dieu sait où se trouve ma montre. L'esprit infini et omnipotent réside dans toutes les choses matérielles de l'univers, dans chaque partie et particule. Et même si ma montre avait été détruite, cela ne changerait rien au fait que l'homme, doué d'intelligence, peut produire des millions de montres. En d'autres termes: Dieu ne peut rien perdre.

Mon explication l'intéressa et elle prit la ferme résolution de tout faire pour surmonter ce sentiment d'insécurité, profondément ancré en elle, et sa peur de subir des revers. Il lui fallut d'abord prendre conscience que, sans notre accord intellectuel — qui se traduit par la crainte d'un revers ou la conviction d'avoir subi une perte —, nous ne pouvons rien perdre et rien ne peut nous être pris. Ensuite, il lui fallut faire un choix intellectuel, et apprendre que sa décision en faveur de la richesse et de l'abondance divines devait s'implanter dans son subconscient et se réaliser dans sa vie par le truchement de la force dynamique et créatrice du subconscient. Enfin, elle dut saisir la nécessité de rester toujours fidèle à l'idée selon laquelle elle participait à la richesse divine, et de sentir dans son coeur que sa foi en Dieu et dans les promesses divines trouverait son accomplissement.

Elle commença à s'orienter vers Dieu. Ce nouvel état d'esprit effaça bientôt le sentiment de frustation et la peur de subir des pertes. La prière ci-dessous constitua en quelque sorte la quatrième étape par laquelle cette jeune femme surmonta son conflit spirituel et affectif:

Dans la conversion et le calme était le salut, dans une parfaite confiance était votre force (Isaïe 30:15).

«Je le sais: Mon sentiment de sécurité intérieure se fonde sur la conviction que Dieu veille sur moi, et j'ai entière confiance en Dieu, mon guide. Ma sécurité est essentiellement fondée sur le fait que je sais et sens l'omniprésence de Dieu. Dieu est la source de toute vie et de tous bienfaits. Je le sais et le sens du fond du coeur. Dieu est en moi, il veille sur moi, pourvoit à mes besoins, m'aide et m'aime. Ce que je pense s'accomplira, car tous les souhaits inspirés par Dieu se réalisent. Il a rénové ma vie consciente, il a rénové mon âme. La bonté et la grâce divines m'accompagnent jusqu'à la fin de mes jours, car j'ai décidé une fois pour toutes d'être unie à Dieu dans mon âme et dans mon esprit jusqu'à la fin de mes jours.»

Un mois après le jour où cette jeune femme avait prononcé pour la première fois la prière ci-dessus, elle fut invitée à une grande réception à Los Angeles. À cette occasion, elle fit la connaissance d'un médecin réputé. Deux mois plus tard, ils se marièrent. Le médecin admirait en elle — ce sont ses propres termes — la hauteur spirituelle dont elle faisait preuve en tout temps et il se montrait profondément impressionné par son équilibre et son inébranlable confiance en soi. Sa prière eût-elle pu être exaucée d'une manière plus belle et plus convaincante? Sa foi ne l'a-t-elle pas menée au bonheur?

La vie est conséquente. En ce sens, la vie ne peut être injuste. Les souffrances — maladie, révolte intérieure, querelle, malchance — auxquelles nous devons parfois faire face en ce monde sont les conséquences d'une pensée erronée et de fausses convictions.

Votre voie vers un avenir meilleur

Décidez de faire travailler votre esprit. Entreprenez de rechercher l'harmonie avec Dieu. Dites-vous: «Mon âme orientée vers Dieu se sent libérée et exulte.»

Dieu tout-puissant est en vous. Vous disposez de tous les atouts, vous pouvez mener une vie pleine et heureuse. Toute la plénitude de la puissance divine est à votre disposition. Réalisez dans votre vie sa sagesse, sa force et sa gloire.

Non utilisés, vos muscles s'atrophient inévitablement. Il en est de même de vos forces intellectuelles et spirituelles. Votre attitude fondamentale en général, vos pensées et motivations en particulier doivent s'orienter vers Dieu. Sinon, votre lien avec Dieu est rompu, vous vous détournez inévitablement de votre chemin et partez à la dérive au gré de votre neurasthénie et de vos dépressions, de votre angoisse et de vos conflits intérieurs en direction de votre propre misère.

Recueillez-vous. Le royaume de Dieu vous appartient: sa puissance, sa sagesse et sa force; avec son aide, vous pouvez faire face à toutes les difficultés et à tous les dangers de la vie. Ainsi est-il écrit dans la Bible: *Mais les gens qui connaissent leur Dieu s'affermiront et agiront* (Daniel 11:32).

Vois, je suis Yahwé, le Dieu de toute chair, à moi rien d'impossible (Jérémie 32:27)!

RÉSUMÉ

1. Vos soucis et angoisses résultent du fait que vous avez négligé de vous tourner vers l'infini, qui ne connaît ni peur ni résistance.

2. Il n'est d'autre sécurité véritable que celle reposant sur le sentiment d'union avec Dieu.

3. Vos pensées et sentiments doivent concorder avec les objectifs de votre vie, sinon vos prières ne sont pas sincères et ne peuvent être exaucées.

4. Si vous contestez intérieurement ce que vous défendez extérieurement, rien ne peut vous aider. Un malade ne peut jamais guérir de cette façon.

5. Le vrai sentiment de sécurité ne dépend ni de la fortune, ni de richesses matérielles quelconques. Il repose sur la foi et la confiance sincère en Dieu, dispensateur de tous bienfaits.

6. Ni un État, ni un gouvernement ne peut vous garantir la sécurité, le bonheur, la paix. En appliquant les lois de votre esprit, vous êtes vous-même l'artisan de votre sécurité, de votre santé, de votre prospérité, de votre bonheur.

7. Dans vos entreprises économiques, vous vous protégez par la conscience que Dieu veille toujours sur vous et vous protège de tout malheur.

8. La loi divine régit votre vie. Vous êtes en relation avec le divin. Dieu vous guide dans toutes vos entreprises. Si vous prenez l'habitude de dire cette prière, vous éviterez les hauts et les bas, cause de bien des souffrances; dans votre vie, vous serez bien équilibré et heureux.

9. La peur peut être remplacée par la confiance en Dieu et en sa bonté infinie. *Dans la conversation et le calme était le salut, dans une parfaite confiance était votre force.*

10. Vous pouvez avoir une vie heureuse et bien remplie en vous unissant à Dieu et en vivant dans la conviction que la puissance, la sagesse et la force de Dieu l'emportent sur toutes les difficultés. Dieu est avec vous depuis le commencement. *Le père et moi, nous sommes un.*

CHAPITRE 8

La loi mystérieuse de la nourriture spirituelle

J'ai connu des personnes extrêmement pointilleuses en matière de nourriture, et qui observaient un régime conforme aux règles de la diététique; pourtant, elles avaient des abcès plus ou moins graves, de l'arthritisme ou diverses autres maladies.

Chacun reconnaîtra sans doute qu'il existe également des règles pour la nourriture spirituelle. Mais il faut bien vous rendre compte que vos conditions de vie et expériences doivent également être «assimilées» de quelque manière. Votre esprit s'en charge. Vos habitudes de pensée constituent en quelque sorte la nourriture ou le «carburant» assurant le déroulement de votre vie. Si votre façon de penser est orientée vers la peur et le souci, la protestation ou la négation de la vie, votre nourriture spirituelle vous condamne inévitablement au désespoir, à l'insuccès, à la maladie et à la misère.

Les êtres vivants recherchent tous la nourriture dont ils ont besoin pour survivre. Faute de nourriture, toute vie est impossible. La science nous confirme que le monde animal s'en tient d'une manière très rigoureuse à ce principe. L'animal ne vit pas dans les régions où il ne trouve pas de nourriture adéquate. La vie est florissante là où abonde la nourriture.

Misère et souffrances ont aussi besoin de nourriture. Cette nourriture leur est fournie par toutes les formes de pensée négative.

Vous êtes le fruit de votre nourriture spirituelle

Qui ne connaît le proverbe: «Dis-moi qui tu hantes, je te dirai qui tu es»? Il peut être modifié de la manière suivante: «Montre-moi ce que tu manges, et je te dirai qui tu es.» Ce n'est ni une plaisanterie ni un hasard. «Tu es ce que tu manges.» Cette assertion est certainement juste si on la comprend bien; il s'agit de nourriture spirituelle.

Effectivement, vous êtes ce que vous absorbez dans votre âme et dans votre esprit. Si votre pensée tourne autour de Dieu, si elle est pénétrée de bonne volonté, d'amour, de joie et d'optimisme, vous disposez de la nourriture spirituelle qui vous procurera santé, bonheur et succès. Choisissez avec soin votre nourriture spirituelle. Absorbez uniquement ce qui est positif. Vous avez ainsi la garantie d'attirer le positif et de placer votre vie sous le signe du bonheur.

Par contre, l'hostilité, la haine, l'envie, la jalousie sont pour vous des substances nocives. Avec un état d'esprit délibérément négatif, vous ne remporterez aucun succès. Une nourriture spirituelle à tel point nocive ruine votre santé et vous assujettit aux maladies psychosomatiques les plus diverses. Vous pouvez suivre un régime aussi bien choisi que possible, observer rigoureusement les prescriptions de votre médecin, cela ne vous servira à rien; vous ne serez pas pour autant préservé des suites d'une nourriture spirituelle nocive. La pensée négative empoisonne tout. Elle vous empêche même de bien digérer vos repas.

Qu'il s'agisse de votre nourriture corporelle ou spirituelle, tout doit être basé sur la bonne volonté, la joie et la gratitude. C'est alors seulement que la nourriture vous réussira, vous assurant santé et vitalité. Le pain que vous mangez ne sera plus empoisonné, il deviendra votre chair et votre sang. «Tu es ce que tu manges.»

L'importance de la nourriture

La nourriture en général et une nourriture convenablement choisie en particulier revêtent une grande importance pour notre bien-être physique. Plus que jamais, médecins et spécialistes en diététique attirent aujourd'hui l'attention sur les dangers de l'embonpoint, qui perturbe le fonctionnement des organes vitaux, notamment du coeur, des poumons, du foie et des reins. Nous savons tous que le manque de vitamines est à l'origine de maladies par carence (avitaminoses). Le béribéri, par exemple, est dû à la carence en vitamine B1, caractérisée par des névrites, des paralysies, l'hydropisie et une dégradation générale de l'organisme. Une carence en vitamine A peut se traduire par des maladies des yeux telles que l'héméralopie, la conjonctivite et par des affections osseuses et dentaires, par une diminution de la résistance aux infections, etc. Enfin, la carence en vitamines, minéraux et éléments essentiels peut donner lieu non seulement à des maladies physiques, mais aussi à des troubles mentaux. Naturellement, chaque femme, pendant sa grossesse, est informée de l'importance pour elle d'absorber une quantité suffisante de calcium, d'une manière générale l'un des minéraux les plus importants pour la vie. Nous ne devrions pas négliger non plus de fournir à notre corps suffisamment de protides, car la protéine est, comme l'on sait, la substance vitale par excellence.

Tout cela, sans aucun doute, est très important. Mais votre nourriture intellectuelle et spirituelle ne l'est pas moins.

Le pain de l'amour et de la paix

Je connaissais un spécialiste de la diététique, auteur d'un livre tout à fait remarquable. D'un côté, ce livre était strictement scientifique, de l'autre, il faisait aussi place au bon sens. Mais son auteur était très malheureux: il souffrait d'ulcères de l'estomac. Son médecin lui avait prescrit un régime simple, léger, qu'il observait strictement depuis huit mois, sans toutefois pouvoir enregistrer la moindre amélioration de son état. Mais fallait-il s'en prendre au régime qu'un médecin avait composé spécialement pour un diététicien souffrant d'ulcères à l'estomac? Ces ulcères ne pouvaient-ils avoir d'autre cause?

J'essayai d'éclaircir cette affaire. Au cours de l'entretien, j'appris des choses très significatives. Cet homme écoutait beaucoup la radio et lisait régulièrement les journaux. Mais il n'appartenait pas à ce genre de public de masse qui accepte tout ce qu'on lui présente. Il tombait dans l'autre extrême: il s'indignait lorsqu'il entendait parler de crimes, de souffrances humaines, d'injustices ou d'erreurs, et il avait coutume de donner libre cours à son indignation en envoyant des lettres de protestation aux directions des programmes radiophoniques, aux rédacteurs de journaux, à des membres du gouvernement, parlementaires, chefs d'administrations publiques, etc. Il leur exprimait carrément son avis. En outre, il ne s'agitait pas moins dans son propre cabinet. Tout ce qui s'y passait en fait d'intrigues, de jalousies, de querelles entre employés lui tapait sur les nerfs. S'étonnera-t-on que ses ulcères de l'estomac n'aient pu guérir?

Pour compléter le régime alimentaire prescrit par son médecin, il adopta un «régime léger» sur le plan intellectuel et affectif. Ce nouveau «régime» peut se résumer comme suit: «Je fais volte-face. Les impressions négatives que je recueille tout au long de la journée ont aussi d'une manière ou de l'autre un côté positif. À partir d'aujourd'hui, je ne me laisserai plus entraîner à des réactions de caractère négatif par des informations diffusées à la radio ou dans la presse écrite, par des slogans publicitaires, ni d'une façon générale par des opinions semblant appeler la critique. Je préviendrai désormais toute tentation dans ce sens en pensant à des choses plus importantes. Je me dirai: «Dieu pense, parle et agit maintenant par mon intermédiaire. Un courant de paix ayant son origine en lui traverse mon esprit et mon âme et me rend comparable à l'homme que je voudrais être. Mon objectif est la paix intérieure, l'harmonie humaine.»

Ce «régime» devint sa nourriture spirituelle de chaque jour, il «mangea» le pain de l'amour et de la paix. Ce nouvel état d'esprit, en liaison avec le régime alimentaire qui lui avait été prescrit, le guérit rapidement et il n'eut pas de rechute depuis lors.

Votre nourriture spirituelle

Quand la Bible parle de nourriture, il s'agit très souvent de nourriture spirituelle: ... *Il rassasia l'âme avide, l'âme affamée, il la combla de biens* (Ps. 107:9).

Rassasiez-vous de ce qui est bon. De même que vous ne voulez rien manger de pourri ou de mauvais, vous devriez repousser toute pensée nuisible. Méchanceté, préjugés, cynisme et haine figurent dans le répertoire des pensées négatives.

Des médecins réputés et des chercheurs appartenant à d'autres disciplines ont attiré l'attention sur le fait que notre organisme se renouvelle tous les onze mois par suite de la régénération perpétuelle de cellules. De même, nous pouvons nous régénérer spirituellement à partir des vérités immuables et des valeurs spirituelles vitales. Par le système nerveux, les ondes de nos pensées parviennent aux cellules de notre corps qui se trouvent dans un processus ininterrompu de régénération, de sorte que ces cellules, en quelque sorte, se mettent à l'unisson de notre pensée. C'est d'ailleurs ce qui faisait dire à Job: *Après mon éveil, il me dressera près de lui et, de ma chair, je verrai Dieu* (Job 19:26).

La nourriture spirituelle vous est aussi indispensable que le pain quotidien. Ce qui, chaque jour, vous assaille de l'extérieur n'est guère susceptible de vous apporter le nécessaire pour votre nourriture spirituelle ou pour votre régénération. Cette nourriture, vous ne la trouverez qu'en vous tournant vers Dieu et en vous ouvrant sans réserve à sa vérité. Pour obtenir ce résultat, le mieux est de prier souvent, par exemple dans les termes suivants: «Je suis maintenant guidé par Dieu. Son amour emplit mon âme. Dieu m'inspire et éclaire ma vie. Je me montre plein de bonne volonté et d'amour à l'égard de tous. Ma vie est soumise à chaque instant à la loi de Dieu.»

Cette prière courte et simple est votre nourriture spirituelle, celle de votre âme. Elle fera des miracles dans votre vie, si vous prenez l'habitude de la dire.

Son savoir intellectuel devint une certitude du coeur

À San Francisco, je rencontrai un jour un homme qui m'incita, tant par son comportement que par une remarque rapide de sa part, à examiner son cas de plus près.

«J'ai lu à peu près tout ce qui a été écrit sur la guérison spirituelle, dit-il. J'ai moi-même publié plusieurs articles sur le pouvoir de guérir issu de l'inconscient et sur son utilisation; mais, jusqu'à maintenant, je n'ai pas réussi à me débarrasser d'une affection chronique contre laquelle je lutte depuis longtemps.»

Cet homme souffrait d'une colite chronique. Comme je pus m'en rendre compte au cours de l'entretien qui s'ensuivit, il avait effectivement beaucoup lu et était versé en psychologie. Mais il n'avait pas assimilé ses lectures. Ce qu'il avait appris et écrit sur le pouvoir curatif de l'inconscient aurait dû être assimilé par la méditation et la réflexion. Le subconscient n'accepte rien qui n'ait subi ce traitement.

Hors de sa spécialité, il s'était intéressé aux enseignements des grandes religions et avait lu de nombreuses oeuvres d'un niveau intellectuel très élevé. Il était même familiarisé avec des domaines assez singuliers tels que la science occulte des nombres et l'astrologie. Mais tout ce savoir accumulé l'avait fait tomber dans une confusion inimaginable. Si quelque part en Californie une nouvelle secte ou un nouveau culte plus ou moins étrange faisait son apparition, il comptait dès le début parmi ses adeptes. L'homme que je venais de rencontrer souffrait visiblement de troubles mentaux et émotionnels graves. Il était déséquilibré.

Je lui fis adopter une tactique simple consistant à opter pour la vérité éternelle et à s'en tenir là. Il devait s'efforcer d'accorder avec l'idée directrice suivante toutes ses pensées et décisions ainsi que son savoir diversifié: ... *tout ce qu'il y a de vrai, de noble, de juste, de pur, d'aimable, d'honorable, tout ce qu'il peut y avoir de bon dans la vertu et la louange humaines, voilà ce qui doit vous préoccuper* (Phil. 4:8).

Il accepta volontiers ma proposition, car elle lui permettait de choisir ce qui était noble et agréable à Dieu. Il rejeta résolument tout ce qui ne concordait pas avec le principe biblique comme étant indigne de trouver place dans la maison de Dieu aménagée sans son esprit. Plusieurs fois par jour, il confirma par la prière sa nouvelle attitude spirituelle, en disant: *Qui demeure à l'abri d'Elyôn et loge à l'ombre de Shaddaï...* (Ps. 91:1).

«Je demeure sous la protection du Très-Haut. L'endroit secret où je trouve protection se trouve au fond de mon propre esprit. Mes pensées partent toute de ma bonne volonté et sont orientées vers l'harmonie spirituelle et la paix intérieure. Mon esprit et mon âme sont un havre de bonheur, de joie et de confiance. J'y trouve constamment refuge, je m'y sens en sécurité et à l'abri. Quelles que soient mes pensées, elles doivent contribuer à ma joie, ma paix et mon bien-être. Mes activités et ma vie, mon être entier trouvent leur sens dans l'esprit de bonté humaine et de fraternité avec tous les hommes.

«Les hommes à qui je pense sont tous des enfants de Dieu. Je vis en paix avec les miens et avec toute l'humanité. Ce que je souhaite de bon pour moi, je le souhaite aussi à tous les autres. Je vis à l'abri et sous la protection de Dieu, maintenant et pour toujours, et là règne la paix, là règne le bonheur.»

Cet homme, naguère si désorienté, devint bientôt méconnaissable. Il parvint à ordonner clairement son savoir. Peu à peu, son savoir intellectuel devint pour lui une certitude du coeur. Et sa colite chronique fut guérie!

Guéri par son imagination

J'ai connu un homme étrange, qui vivait à New York et ne quittait jamais sa maison. Il ne mettait jamais le pied dans la rue, ni même dans la cour de sa maison. S'il avait l'intention de sortir, il ne

parvenait jamais à s'y décider. Sous l'effet d'une contrainte intérieure, il s'imaginait toujours que les choses les plus effroyables
pourraient lui arriver «dehors». Il serait pris de vertige et tomberait
évanoui.

Il souffrait d'une névrose grave. Dans la terminologie scientifique, cette incapacité à traverser des places publiques porte le nom
d'agoraphobie. La névrose obsessionnelle de cet homme remontait à
un événement de sa petite enfance. Âgé de cinq ans à peine, il
s'était échappé de chez lui et s'était perdu dans un bois, où on
n'avait pu le retrouver qu'au bout de nombreuses heures de
recherche. Cet événement était encore présent à sa mémoire. Il
avait conservé dans sa vie d'adulte une bonne part de la peur éprouvée dans son enfance. Refoulée dans son inconscient, cette peur
continuait à y couver et s'exprimait, phénomène symptomatique, par
la névrose décrite ci-dessus.

Il parvint à se libérer du conflit affectif resté jusqu'alors non
assimilé en dirigeant de manière consciente et adéquate son imagination. Comme je le lui suggérai, il prit l'habitude, trois fois par jour,
de s'imaginer paisiblement assis dans un autobus et lisant, ou bien
en train de faire des emplettes, tantôt dans une librairie, tantôt dans
un magasin d'alimentation, tantôt seul, tantôt avec des amis. Peu à
peu, ces scènes imaginaires répétées lui donnèrent l'impression de
choses vécues.

Les scènes imaginaires de situations concrètes s'imprimèrent
lentement mais sûrement dans les couches les plus profondes de
son esprit, c'est-à-dire dans son inconscient, supprimant ainsi la
peur qui, des années durant, lui avait empoisonné la vie. La méthode
était simple, l'effet évident: ce que cet homme se représentait et
vivait dans son imagination se réalisa dans sa vie.

Le coeur reconnaissant

Dites aussi souvent que possible la prière suivante. Vous
vous sentirez ainsi proche de Dieu, et votre nourriture tant corporelle que spirituelle aura les meilleurs effets.

«J'attribue la plus grande importance au fait que Dieu est présent en moi. Je suis sincèrement reconnaissant de tous les bienfaits
que j'ai reçus. Je suis reconnaissant de tout le bien dont j'ai bénéficié
dans ma vie. Mon coeur reconnaissant bat au rythme de la réponse

divine. Quotidiennement, je suis reconnaissant de connaître les lois de l'esprit. La reconnaissance est en premier lieu un besoin du coeur, je le sais, et c'est ensuite seulement que je suis en mesure de l'exprimer. Ma reconnaissance vient du coeur. En mon coeur s'ouvre le trésor de l'infini auquel je participe; mon coeur exultant porte témoignage de ma foi de voir mes prières exaucées. Je suis vraiment reconnaissant, car j'ai trouvé Dieu en moi-même. Je cherchais Dieu, il m'a entendu et m'a libéré de toutes les angoisses. Celui dont le coeur est rempli de reconnaissance est en harmonie avec l'infini et déborde de joie de voir Dieu dans son omniprésence. Je suis reconnaissant de tout.»

RÉSUMÉ

1. Votre pensée est la nourriture spirituelle qui assimile toutes les circonstances et expériences de votre vie.

2. La maladie, les douleurs, la misère sont les conséquences d'un état d'esprit pessimiste. Comme les animaux, la maladie et la misère ne peuvent subsister sans nourriture.

3. Vous êtes ce que vous absorbez intellectuellement et spirituellement. Prenez votre nourriture avec joie et reconnaissance.

4. L'alimentation de notre corps est importante, mais notre nourriture intellectuelle et spirituelle revêt une importance plus grande encore.

5. Toutes les impressions négatives qui vous assaillent chaque jour de l'extérieur peuvent, selon votre état d'esprit, prendre une tournure favorable.

6. Votre corps se régénère tous les onze mois. Si vous vous en tenez aux vérités éternelles et aux valeurs spirituelles de la vie, vous vous sentirez régénéré et rajeuni intellectuellement.

7. Le consentement par la raison ne suffit pas. Les vérités acceptées consciemment doivent être assimilées sur le plan affectif et ressenties comme des vérités. C'est alors seulement qu'elles pourront s'intégrer à votre inconscient.

8. Votre savoir intellectuel doit s'intégrer à votre inconscient. Il deviendra alors une certitude du coeur, et vos prières pourront être exaucées.

9. Pour vous libérer de votre angoisse, concentrez toute votre attention sur ce qui est vrai, noble, sublime et semblable à Dieu. Armez-vous contre la peur sous toutes ses formes par la conscience de votre foi en Dieu. La peur n'y résistera pas.

10. La peur se nourrit des représentations d'une imagination maladive. Imaginez-vous en train de faire exactement ce dont vous avez peur. Cette habitude met fin à toute angoisse.

11. Le coeur reconnaissant est toujours proche de Dieu. Remerciez Dieu, louez Dieu.

CHAPITRE 9

La loi grandiose de l'amour

Si vous voulez garder santé et dynamisme, vous devez tout d'abord admettre qu'il n'existe qu'une puissance indivisible, ayant sa source dans l'amour. Rien ne peut résister à cette puissance. Elle est le principe vital qui régit tout et régira toujours le monde, sans connaître aucune limitation.

Vous êtes un avec cette puissance divine. Il vous faut en prendre conscience. Vous serez alors en harmonie avec le principe vital de l'amour, puissance divine, et vous bénéficierez dans votre vie de son puissant soutien.

Qui aime se lie

L'amour a besoin d'un objet. Il constitue un lien sentimental. Cet objet peut être la musique, l'art, une grande entreprise ou un travail que vous aimez. Ce peut être un idéal ou votre idole. Vous pouvez subir la puissante influence des vérités éternelles ou la fascination d'une science. Vous pouvez aimer ceci ou cela (nous parlerons plus loin de l'amour entre humains).

Le grand amour d'Einstein c'étaient les mathématiques; il a découvert leurs secrets. Voilà ce que peut l'amour. D'autres explorent le ciel, parce que l'astronomie les a conquis, et les savants de cette discipline découvrent pour nous les mystères des astres qui peuplent l'univers.

Désirez-vous devenir un homme nouveau?

Désirez-vous sortir de votre moi vieilli et sclérosé? De vos idées désuètes, des sentiers battus d'une pensée faisant fausse route?

Êtes-vous prêt à accepter de nouveaux points de vue, un nouveau monde imaginaire, des idées nouvelles? Êtes-vous ouvert et réceptif à tout cela?

Si vous l'êtes, ou désirez l'être, la première chose à faire est d'abandonner vos préjugés et vos réserves, de surmonter vos sentiments d'envie et de jalousie, de mécontentement, de haine et de peur. Si vous voulez vous rendre de Paris à Rome, il vous faut tout d'abord quitter Paris. Il en va exactement de même si vous voulez devenir un homme nouveau. Il vous faut tout d'abord vous défaire de vos vieux défauts, et surtout vous libérer de la haine et de la peur. Ensuite, vous devrez vous orienter vers vos nouveaux objectifs. Vos objectifs sont la santé et la paix intérieure, la bonne volonté, l'amour et la joie. Concentrez votre attention sur ces objectifs. Vous y trouverez la joie de vivre.

Pourquoi un chanteur connut un triple échec

Je connaissais un chanteur, aujourd'hui célèbre, alors qu'il se trouvait encore au début de sa carrière. Les paroles découragées qu'il laissa tomber en ma présence me sont restées en mémoire: «Je sens que je vais vers un échec. Je ne trouverai ni le mot, ni la tonalité juste.»

Son imagination était entièrement orientée vers l'échec. Il s'y accrochait comme si son voeu le plus cher était d'échouer. Bien entendu, il n'en était pas ainsi, mais sa peur eut effectivement ce résultat: il échoua, et même à trois reprises.

Tout d'abord, il dut se faire une nouvelle idée de lui-même, il dut, en quelque sorte, apprendre à aimer son moi supérieur, le moi nouveau du grand chanteur qu'il voulait devenir et qu'il est aujourd'hui. Il se forgea une nouvelle image de lui-même, changea en conséquence ce qu'il ressentait à son propre égard et parvint ainsi à une nouvelle appréciation de ses capacités.

Chaque jour, il se retirait trois ou quatre fois dans sa chambre, où rien ne venait le déranger, s'asseyait confortablement dans un fauteuil et s'efforçait de se détendre physiquement. La décontraction physique permet d'être plus réceptif aux suggestions de toutes sortes. Donc, ainsi détendu, il se concentrait sur la pensée suivante: «Je suis parfaitement décontracté et détendu. Je suis bien équilibré, calme et serein. Je suis plein de joie quand j'envisage ma tournée.

J'ai une belle voix. C'est une réussite. L'organisateur de la tournée me félicite de mon succès. Je suis satisfait. J'ai la paix intérieure.»

Il prit l'habitude de ces exercices de détente et de suggestion, surtout avant d'aller dormir. Ce qu'il imaginait devint une certitude grâce à la régularité de ses exercices. L'assurance ainsi acquise fit ses preuves devant le public: celui-ci fut conquis et, depuis lors, lui est resté fidèle. Il est aujourd'hui le chanteur brillant et célèbre qu'il voulait devenir.

Qu'est-ce qu'aimer Dieu?

Dieu et le bien sont identiques. Si vous consacrez votre vie à la sincérité, à l'amour véritable du prochain, à la justice, à la bonne volonté et à la joie de vivre, en vous identifiant intellectuellement et affectivement à ces valeurs idéales, c'est que vous aimez le bien.

Vous aimez Dieu si vous êtes fasciné et captivé par sa grande vérité, à savoir que Dieu est la seule puissance indivisible. Aimer Dieu, c'est se soumettre exclusivement à sa puissance et à sa gloire, se dévouer uniquement à elle et ne vénérer qu'elle. Ceci suppose le refus de reconnaître une autre puissance spirituelle en ce monde. Dieu est tout-puissant. Il vous faut admettre cette vérité sans la moindre réserve, au sens littéral et le plus pratique du terme. Ce don sans réserve est la seule véritable manière de se soumettre à cette puissance unique. Aimer Dieu, c'est cela.

Prenez de temps à autre un moment pour vous détendre et réfléchir à cette vérité fascinante, qui exige une prise de position de votre part, vérité pour vous vitale et la plus grande de toutes. Recueillez-vous dans la paix intérieure.

Amour et peur s'excluent

Lorsqu'au Caxton Hall de Londres, je lisais des passages tirés de mon livre *La puissance de votre subconscient*, une actrice m'adressa la parole pendant une pause. Elle me dit: «Je vous ai entendu dire que la peur et l'amour s'excluent. Je suis actrice et j'aime le théâtre par-dessus tout. Mais je souffre de crises d'anxiété et de dépressions. Peut-être est-ce lié au fait que je n'obtiens pas de rôles meilleurs?»

Je l'engageai à se faire une idée plus agréable, plus noble et plus grande d'elle-même.

À l'issue de divers autres entretiens, cette jeune femme se décida à aimer en elle-même ce qui constitue vraiment le moi le plus noble et le plus grand de chacun: la présence du Dieu tout-puissant. Elle prit conscience des possibilités quasi illimitées qui sommeillaient en elle, et se rendit compte que ces forces étaient encore endormies et n'avaient par conséquent pas encore pu trouver leur expression. Elle en fut si impressionnée qu'elle se mit à prier régulièrement et systématiquement. Voici sa prière: «Je suis capable de tout avec l'aide de la puissance divine qui me pénètre. Dieu pense, parle et agit par mon intermédiaire. Je suis une actrice douée et brillante. Dieu est toujours brillant, et je suis une avec Dieu. Je suis un enfant de Dieu, et ce qui est vrai pour lui l'est aussi pour moi.»

Chaque fois qu'elle était assaillie par la peur et les doutes, elle se disait: «L'amour de Dieu emplit mon âme. Dieu est avec moi.» Grâce à ces prières simples, mais empreintes d'une profonde conviction, elle parvint à se libérer en quelques semaines de ses crises d'anxiété et de son manque d'assurance.

Depuis lors, cette actrice connut le succès, l'estime et aussi l'aisance financière. Sa confiance dans la puissance divine exerça une influence décisive sur sa façon de penser et s'infiltra jusque dans les profondeurs de son âme. Ainsi put-elle s'enthousiasmer à l'idée d'être une grande actrice. Cet enthousiasme lui permit de s'identifier avec son idéal. Il ne s'agissait pas d'essayer d'atteindre son idéal avec peine et à n'importe quel prix. Sur le plan psychologique, une telle interprétation serait totalement fausse. Ce qui s'est passé exactement, c'est que l'idéal s'est emparé d'elle et l'a conquise. Voilà ce dont l'amour est capable. Et l'amour a absorbé et éliminé toute angoisse. L'amour et la peur ne peuvent cohabiter sous un même toit, ils s'excluent.

L'amour surmonte toute jalousie

Dans son *Othello*, Shakespeare a caractérisé la jalousie en ces termes: «Oh, gardez-vous, Monseigneur, de la jalousie, ce monstre aux yeux verts qui souille ce qui le nourrit.» Milton a dit sur le même sujet: «La jalousie est l'enfer de l'amant injustement blessé.»

Effectivement, le jaloux empoisonne le festin auquel il s'apprête à participer. La jalousie est un poison spirituel. La cause de la jalousie est toujours la peur. Les gens jaloux revendiquent toujours le droit exclusif d'être aimés et admirés. Ils ne tolèrent ni l'admiration ni la concurrence de tiers. Ils veillent, pleins de suspicion, sur la fidélité de leur partenaire — mari ou femme, amant ou maîtresse, ami ou amie. La jalousie est toujours fondée sur un sentiment profond de peur ou de méfiance envers le partenaire. À ce sentiment viennent en général s'ajouter un complexe de culpabilité et un manque de confiance en soi.

Un homme vint un jour se plaindre auprès de moi de l'extraordinaire jalousie de sa femme. Elle ne cessait de lui faire des reproches et de l'accuser d'avoir des relations avec d'autres femmes. Elle prétendait obstinément que son mari la trompait à son insu. Par malheur, cette femme se prenait pour un médium et pratiquait l'écriture automatique au moyen de la planche «oui-ja». Les messages ainsi obtenus la confirmaient dans sa jalousie.

À la demande du mari, j'eus un entretien avec cette malheureuse femme. Je lui expliquai en détail pourquoi elle soupçonnait son mari et croyait devoir l'accuser, afin de la guider vers la conclusion nécessaire selon laquelle sa jalousie tout comme la prétendue confirmation de son soupçon avaient leur origine dans son propre inconscient. Le subconscient accepte ce dont on le persuade avec assez d'insistance. Par conséquent, dans l'écriture dite automatique, quand les mouvements les plus faibles, voire imperceptibles, de la main ou du doigt se communiquent à la planche «oui-ja», c'est l'inconscient qui s'exprime. Il parle dans le sens que nous lui indiquons par notre propre pensée. En d'autres termes, cette femme, en monologuant ainsi, avait exacerbé sa jalousie. Elle s'en rendit compte.

Au cours de mon entretien avec le mari, j'avais appris qu'il suivait un traitement médical à cause de graves symptômes d'épuisement. Sa femme, ayant désormais reconnu son erreur et les conséquences dangereuses qui en résultaient, prit la sincère résolution de se montrer de nouveau affectueuse à l'égard de son mari. Ils décidèrent ensemble de toujours penser avec amour et amitié l'un à l'autre et de se concentrer intellectuellement sur la paix de leur ménage. La bonne volonté du couple permit à la femme de surmonter son attitude foncièrement négative. Le couple retrouva la paix et connut à nouveau le bonheur.

L'explication psychologique des causes de son conflit sentimental avait permis à cette femme de comprendre ce qui lui était arrivé et l'avait guérie de sa jalousie en lui apprenant à faire confiance à son mari. Là où l'amour et la confiance règnent, la jalousie n'a pas de place.

Le Seigneur donne la croissance

Qui veut donner un fondement scientifique à cette parole de la Bible voit dans le Seigneur, qui donne la croissance, la loi inhérente à l'inconscient. Selon cette loi, tout ce qui est intégré au subconscient croît. C'est la loi de causalité, qui échappe à l'influence personnelle.

Il m'arriva d'expliquer le sens de la parole biblique à un agent immobilier qui, depuis quatre ans, n'avait plus vendu aucun terrain. Il consacrait toute son attention et toute son énergie à lutter contre la régression de ses affaires, régression qui menaçait son existence. Il était devenu incapable de penser à autre chose qu'à l'échec de ses efforts pour trouver des acheteurs et à sa situation financière. Il était insolvable et craignait le pire. Pendant que ses affaires périclitaient et que sa situation financière se détériorait gravement, le malheur le frappa aussi dans sa vie privée. Il ne souffrait pas seulement de la perte de prestige subie. Il tomba malade, et, après lui, sa femme et l'un de ses enfants.

Il se rendit compte qu'il devait se libérer de son pessimisme. Naturellement, il était pour lui plus utile et plus enthousiasmant d'orienter toute sa pensée vers le succès et la prospérité tout en mettant cette pensée au service de ses efforts pour mieux satisfaire sa clientèle et lui offrir le meilleur des services. À cette fin, il eut recours à la prière suivante, qu'il devait dire plusieurs fois par jour dans un état de détente physique et de sérénité affective:

«Je crois de tout mon coeur que la santé, la paix, le succès dans mes affaires et la prospérité me seront accordés. Je m'imprègne maintenant d'une conception spirituelle placée sous le signe de la paix, de l'harmonie et de l'orientation intérieure, conception entièrement orientée vers le succès et la prospérité. Je crois et je sais que cet état d'esprit qui est le mien lèvera dans mon esprit comme le bon grain et trouvera son expression dans ma vie. Il en est de moi comme du jardinier: je récolterai ce que je sème. Ma pensée est agréable à Dieu — voilà la semence qui portera ses fruits. Je sème le bien, et ma vie prendra une tournure favorable. J'oriente toute ma pensée dans cette direction, je me concentre régulièrement et systématiquement sur cette idée. Je le sais: mon subconscient fera s'épanouir ce que je lui inculque. Je goûterai un jour les fruits merveilleux de ce que je m'apprête maintenant à semer. Je fais de cette idée une réalité en ressentant sa concrétisation. Je crois à la loi de la croissance spirituelle tout comme au fait indiscutable que la semence confiée au sol le féconde trente, soixante, cent fois. Comme le grain dans la terre fertile, mes pensées germent dans l'obscurité de l'inconscient. Et comme le grain pousse à la surface du sol et porte ses fruits à la lumière du jour, la semence de ma pensée fructifiera dans ma vie. Je ne cesse de penser à cela; quand je pense ainsi, Dieu est en moi, parce que je pense le bien. Dieu donne la croissance.»

Le courtier utilisa également une sorte d'abrégé de la prière ci-dessus: chaque fois que la peur ou les doute l'assaillaient, il se dérobait à leur influence en disant: «Dieu donne la croissance à toutes les terres.»

Le bureau de ce courtier redevint bientôt prospère. Peu de temps après, il y eut trop à faire pour un seul homme. En un seul mois, il fallut engager trois employés.

Comment elle réussit son examen

Une étudiante qui suivait mes cours sur la puissance de l'inconscient me rapporta un cas intéressant.

Peu de temps auparavant, elle dut passer un examen dont elle avait tellement peur que, disait-elle, «ses jambes flageolaient». Mais, aussi forte que fût sa peur, sa décision de la combattre ne fut pas moins énergique. Elle se sentit encouragée dans cet effort par la réflexion suivante: sa peur était le signal qu'il fallait faire quelque chose.

Elle fit quelque chose en se disant: «Le Seigneur est mon pasteur. Dieu ne connaît pas la crainte. Dieu est présent, ici, auprès de moi. Dieu est mon refuge, ma force. La paix de Dieu me pénètre. L'amour de Dieu réside en moi et dissipe toute crainte. En moi sont la paix et l'équilibre harmonieux. Je suis détendue, entièrement décontractée. Je répondrai à toutes les questions de mon examen selon la volonté de Dieu. Sa sagesse infinie me fera savoir ce que je dois savoir.»

Elle cessa de se trouver sous l'empire d'une peur paralysante. Elle avait planté sa foi en Dieu et le bien dans la terre de son appréhension. Si elle réussit, c'est essentiellement parce que — à la différence de tant d'autres — elle ne tourna pas en rond dans le cercle vicieux de la peur. Elle se déroba à celle-ci en la combattant. La prière lui permit de surmonter sa crainte de l'examen. Je ne voudrais pas manquer de signaler qu'elle obtint un excellent résultat.

Ne vous laissez pas dominer par la peur

La peur et les soucis sont des formes typiques de la pensée négative. Personne n'est assuré de n'être pas quelque jour assailli par eux. Mais cela ne fait rien. L'essentiel est de ne pas cultiver les tentations de la peur, de ne pas s'abandonner à elles. Or, ceci se produit si vous traînez de telles pensées pendant un certain temps sans rien faire pour leur résister. Alors, la peur, les soucis s'emparent bientôt de vous et pénètrent jusqu'au plus profond de votre vie affective. Ils contaminent tous vos sentiments, et suscitent de graves conflits émotionnels qui se répercutent inévitablement dans votre vie.

Évitez d'en arriver là. Alors, la peur et les soucis ne pourront vous causer aucun tort. Ils constituent pour vous un danger potentiel mais ne peuvent se réaliser à moins d'envahir votre vie affective et de s'implanter ainsi dans votre subconscient. Voilà par conséquent ce qu'il s'agit d'éviter, car tout ce qui s'implante dans votre inconscient trouve son expression dans votre vie.

Dépassez-vous spirituellement

La peur est un principe agressif poussant à la violence obsessionnelle et à la terreur, un principe qu'il convient de détruire. Mais la peur n'a de pouvoir que sur quiconque se laisse intimider par elle et s'y abandonne.

N'hésitez pas à vous la représenter sous les traits d'un importun aussi suffisant que violent, prétendant — à tort — se faire respecter dans votre vie spirituelle et affective, et exigeant entière soumission de votre part. Peut-être l'idée de rencontrer cet importun dans le domaine de votre esprit vous fait-elle peur. Peut-être aussi hésitez-vous à lui faire face et à le mettre hors de combat, parce que vous n'êtes pas sûr des suites pouvant en résulter pour vous.

La peur prospère dans l'ombre de l'ignorance intellectuelle. Qui connaît les lois de l'esprit et son fonctionnement arrache d'un coup la peur à la lumière de la raison. On s'aperçoit alors qu'elle craint la lumière: dans la lumière, elle s'éparpille comme la balle de grain au vent.

Vous êtes votre propre maître. Vous seul pouvez diriger votre vie spirituelle et affective. Il est absurde, dangereux et sot de laisser ce monstre ignorant, aveugle et stupide qu'est la peur se déchaîner contre vos entreprises et dévaster votre vie. Ceci ne doit pas vous arriver. Vous êtes trop éclairé, trop supérieur, pour que cela vous arrive. Votre foi en Dieu est plus forte que la peur. La peur est une foi inversée, elle est un conglomérat d'ombres nocturnes et funestes qui assombrissent votre esprit. Dépassez-vous vous-même. Réveillez votre confiance en Dieu. Mettez en oeuvre sa force et sa puissance.

Rien ni personne n'est l'égal de celui qui est un avec Dieu. Si vous vivez dans la sécurité que cette certitude vous procure, vous vous sentirez toujours protégé et guidé dans toutes vos entreprises, affranchi de toute crainte et victorieux quel que soit le danger.

Perdu dans la jungle

À l'âge de dix ans, je me perdis dans la jungle, comme cela peut arriver à un enfant irréfléchi et passablement curieux.

Je me rappelle encore exactement cette aventure. Tout d'abord, j'eus une peur effroyable. Mais ensuite, la certitude que Dieu me prendrait sous sa protection et me guiderait sain et sauf hors des fourrés impénétrables s'éveilla en moi. En même temps, je me sentis irrésistiblement poussé dans une certaine direction. La contrainte intérieure, ou la tendance de mon inconscient à laquelle j'obéissais, se révéla absolument exacte: deux jours plus tard, je courais littéralement dans les bras d'une patrouille envoyée à ma recherche, et je fus ainsi sauvé comme par miracle. D'avoir été ainsi guidé, je le dois sans aucun doute à l'inspiration de mon inconscient qui savait comment sortir de la jungle.

Mais, si vous désirez mettre en oeuvre les forces inconscientes qui sommeillent en vous, ne perdez jamais de vue que l'inconscient part toujours de données existantes et tend à en réaliser les conséquences. En quelque sorte, il tire la conclusion logique des prémisses qui lui sont fournies.

Il ne faut pas combattre la peur par la peur

Ne cherchez jamais à combattre la peur par la peur. Faites face au contraire à la peur qui vous assaille en louant l'omniprésence et la puissance de Dieu. Aucune peur ne résiste à la puissance divine. Prenez courage en disant: «Le Seigneur est la force de ma vie. Qui pourrais-je craindre?»

Avez-vous peur d'une maladie dont vous êtes atteint ou de conflits sentimentaux qui vous font souffrir? De troubles quelconques, physiques ou spirituels? Si vous vous recueillez et examinez votre maladie de plus près, vous vous rendrez compte que vous attribuez une importance exagérée à une faille de raisonnement, quel que soit son pouvoir sur vous. Ne vous laissez jamais tyranniser par des erreurs de raisonnement. Une idée fausse ne doit pas vous en imposer. Combattez-la. Changez votre pensée. Rendez-vous compte que votre propre esprit sert de support à toute maladie, ou perturbation. C'est de lui qu'est issue votre maladie, et non de l'extérieur.

Il faut changer votre pensée. Admettez que le pouvoir infini de guérir, qui vous a créé, vous guérit aussi. Si vous vous remémorez sans cesse et consciemment cette vérité, si vous l'intégrez à vos pensées courantes, l'idée directrice de votre pensée se transmettra à votre inconscient, et la guérison aura lieu. Ce dont vous êtes actuellement convaincu détermine votre vie et votre avenir.

Son esprit était prisonnier de la peur

Une jeune femme se soulagea ainsi de la mauvaise humeur accumulée en elle depuis longtemps: «Je crève de rage. Cette Hélène, je la tuerais!»

De toute évidence, l'Hélène en question avait propagé des mensonges sur son compte et essayé de lui rendre la vie impossible à son travail. Toutefois, comme le prouve son exclamation spontanée et naturellement inacceptable, elle n'était elle-même pas exempte de toute responsabilité dans cette affaire. Elle accordait à sa collègue un pouvoir qu'en réalité elle n'avait pas. Les difficultés résultaient de sa propre façon de penser. Aussi pouvait-elle difficilement reprocher à sa collègue ce qui en réalité provenait de la confusion de sa propre pensée. La jeune femme s'en rendit compte. Tout à coup, elle vit clair. Sa pensée était marquée par la peur. Cette peur la bouleversait, l'intimidait, la terrorisait et lui inspirait une peur encore plus grande. Elle tournait en rond, sa peur la tenait en laisse. Cette peur, liée à sa manière erronée de penser et de voir les choses, elle l'avait elle-même cultivée. Elle seule était responsable de toutes les tensions, de tous les malentendus et incidents désagréables qui en résultaient.

Elle prit la résolution de mettre fin à l'emprise de la peur sur sa pensée, et de porter un coup mortel au monstre qui l'oppressait avec le glaive de la lucidité. Elle concentra son esprit sur cette simple vérité: «Dieu existe. Omniprésent, il emplit mon âme et détermine ma vie.»

Elle cessa d'accorder à Hélène un pouvoir qu'elle n'avait pas. Elle refusa plus longtemps de penser que, à cause de sa collègue, elle pouvait souffrir de migraines, de troubles digestifs, de nervosité ou d'insomnies. Elle fit entièrement confiance à la puissance de sa propre pensée — pleinement consciente de ce qu'elle, et elle seule, pouvait diriger sa conscience, et que personne d'autre n'avait le pouvoir de lui faire perdre son équilibre et d'ébranler sa confiance en Dieu et dans le bien.

Cette jeune femme parvint à se libérer de sa peur. Sa vie spirituelle et affective recouvra l'équilibre. Très vite, elle cessa de souffrir de ses migraines et de divers autres malaises d'origine psychique. En même temps, les tensions cessèrent à son lieu de travail.

En autres prières, la jeune femme s'en tint particulièrement à celle-ci: «Dieu apporte dans ma vie beauté, paix et harmonie. Je descends de l'infini, je suis un enfant de l'éternité. Je reste près de Dieu, mon père céleste. Il m'aime et veille sur moi. Parce que je me tourne vers lui, il se tourne vers moi. Toutes les ombres se dissipent. En moi et autour de moi jaillit la lumière.»

Le baume salutaire de l'amour

Vous trouverez ci-dessous une prière qui vous aidera toujours à surmonter la peur. Méditez souvent ces vérités et prononcez-les dans une prière pleine de foi. Vous verrez que vous éprouverez un sentiment profond de paix intérieure, de détente et de sérénité.

«L'amour de Dieu me pénètre. Je baigne dans la paix divine. Tout est bien. L'amour divin m'environne et s'épanouit en moi. Cet amour infini est gravé dans mon coeur et dans toute ma vie intérieure. Je rayonne d'amour, en pensée, en paroles et en actes. Cet amour éveille en moi les qualités de Dieu. L'amour est joie, paix et liberté. Je glorifie l'amour. L'amour signifie, l'amour est liberté. Il ouvre les portes des prisons et tous les cachots de l'esprit. L'amour apporte la liberté à tous les opprimés. Je rayonne d'amour à l'égard de tous mes semblables, car l'amour de Dieu s'exprime en chacun d'eux. Je vois dans mes semblables des enfants de Dieu. Je crois et je sais que l'amour divin est en train de me guérir. La loi de l'amour me guide. L'amour apporte harmonie et bonheur dans ma vie et dans mes rapports avec mon entourage. *Dieu est amour; celui qui demeure dans l'amour demeure en Dieu et Dieu demeure en lui* (I Jean 4:16).

RÉSUMÉ

1. Qui aime se lie affectivement. L'amour a besoin d'un objet.

2. Si vous voulez être libéré de toute peur, il vous faut abandonner préjugés et réserves et surmonter les sentiments de jalousie, de mécontentement et de haine.

3. Parvenez à une nouvelle conception de vous-même, à une nouvelle appréciation. Apprenez à aimer votre moi supérieur.

4. Aimer Dieu, c'est vous lier spirituellement et affectivement à ce qui est beau et pur, noble et agréable à Dieu. Aimer Dieu, c'est vénérer exclusivement sa puissance et sa gloire.

5. Aimer, c'est croire en Dieu et se soumettre à lui. La peur, par contre, est une foi inversée en l'erreur. La peur assombrit l'esprit. L'amour et la peur s'excluent.

6. Celui qui est jaloux a peur; il manque de confiance en soi et ne s'apprécie pas sainement lui-même. L'amour et la confiance ont le pouvoir de dissiper la jalousie.

7. Votre subconscient développe tout ce que vous lui inculquez. Inculquez-lui amour et bonne volonté, foi, confiance et gaieté.

8. Vous surmontez toute peur, même celle qui vous fait trembler, si vous comprenez que Dieu ne craint rien et que vous êtes un avec lui.

9. Les tentations de la peur ne peuvent avoir aucun effet sur vous si vous ne vous abandonnez pas à elles; ne leur permettez pas d'envahir votre vie affective.

10. La peur est issue de votre propre pensée. Ne vous laissez pas intimider et tyranniser par elle. Pour la chassser, accueillez en vous l'amour et la foi en Dieu.

11. Qui se perd dans la jungle de ce monde ou dans les fourrés immatériels de la peur et de la confusion doit savoir que Dieu connaît l'issue. Il vous la montrera.

12. Il ne faut pas vouloir combattre la peur par la peur. Faites face à la peur en louant ouvertement Dieu: «Dieu est la seule puissance omniprésente. Il n'y a donc rien à redouter.»

13. Libérez votre pensée de la peur. Portez un coup mortel aux tentations de la peur avec le glaive de la lucidité intellectuelle.

14. ... *celui qui demeure dans l'amour demeure en Dieu et Dieu demeure en lui* (I Jean 4:16).

CHAPITRE 10

La loi positive du contrôle des sentiments

Parmi les épigraphes du temple d'Apollon à Delphes nous a été transmise cette parole de la Grèce antique que nous connaissons tous: «Homme, connais-toi toi-même!»

Celui qui se consacre ainsi à la connaissance de soi, verra l'individu comme une unité déterminée, d'une part, par son corps physique, et d'autre part par sa vie affective et, enfin, par sa vie intellectuelle. Il dépend de vous de vous éduquer et de vous former de manière à donner à votre vie physique, intellectuelle et émotionnelle un dénominateur commun en vue d'en assurer le contrôle. Vous pourrez ainsi concrétiser dans votre vie le bien de nature divine.

Votre corps ne dispose en soi ni d'initiative ni d'intelligence. De même il est incapable, de lui-même et pour lui-même, d'un acte de volonté. À tous égards, il obéit à vos intentions et à vos ordres.

Voyez donc votre corps sous un jour tout à fait nouveau; voyez en lui une sorte de magnétophone enregistrant et reproduisant non des sons, mais votre vie affective et spirituelle, vos émotions et vos convictions. Votre magnétophone n'enregistre que ce que vous désirez; il restitue fidèlement ce que vous avez enregistré. Vous pouvez par conséquent enregistrer une mélodie d'amour et de beauté ou un refrain de peine et de misère. En tous cas, votre magnétophone ne reproduira rien qui n'ait été enregistré.

Comme l'enseigne la médecine moderne, mécontentement, tristesse, jalousie, haine et autres troubles de votre vie affective s'expriment physiquement sous forme de diverses maladies. Il n'y a aucun doute à cela. Pour que votre vie soit heureuse, il est par conséquent important et nécessaire que vous appreniez à contrôler l'aspect spirituel et émotionnel de votre vie. Ce contrôle vous permettra de vous orienter vers le bien et de découvrir les trésors cachés en vous.

La maturité affective

Réfléchissez un instant à un fait vraiment surprenant: vous ne pouvez acheter la santé physique, quelle que soit votre fortune. Par contre, vos richesses psychiques et spirituelles vous permettent de vous procurer cette santé si précieuse que vous ne pouvez acheter avec tout l'or du monde. Qui connaît la puissance de l'esprit et qui sait ce dont est capable une orientation sans réserve vers la paix intérieure et l'équilibre harmonieux ne trouve rien de surprenant à cela. Mais il sait aussi combien il est important de parvenir à la maturité affective et spirituelle.

Cette maturité n'est donnée à personne. Elle ne s'obtient pas sans contrôle. Apprenez à vous gouverner sur le plan spirituel et affectif. Si vous n'êtes pas disposé à accepter ce genre d'autodiscipline et de formation, on vous contestera à juste titre la maturité affective dont un adulte ne saurait se passer. Toutefois, cette maturité ne s'acquiert pas avec l'âge. Nombreux sont les adultes ayant franchi le cap de la cinquantaine et qui, sur le plan affectif, sont restés des enfants.

Vous êtes mûr affectivement si vous avez une vie affective équilibrée et si vous savez mettre en oeuvre vos émotions d'une manière positive, constructive et sensée.

Comment s'apprécier à sa juste valeur

Une fausse opinion qui vous domine et vous tient captif est un joug que vous vous êtes imposé, mais aussi le plus lourd de tous. L'opinion que vous avez de vous-même est de la plus grande importance. Elle fait naître en vous des sentiments déterminés. Elle déteint aussitôt sur votre vie affective, celle-ci exerçant à son tour une influence déterminante sur votre vie. Ainsi vos idées ne décident-elles pas seulement de vos sentiments, mais aussi en définitive, de la direction que prend votre vie — vers le bien ou vers le mal.

Des sentiments de refus ou d'hostilité, voire seulement des contrariétés, exercent une influence négative sur votre comportement envers une personne déterminée. Ils apparaissent dans tout ce que vous faites, et cela éventuellement de façon différente de ce que vous désirez. Vous voudriez être aimable, avenant, cordial, et vous avez néanmoins un ton inamical, cynique ou amer. Vous voudriez être en bonne santé, heureux et brillant, et pourtant rien ne vous réussit.

Les lecteurs de ce livre ont sans doute pris conscience maintenant de leurs capacités à opter pour une conception de bonne volonté et de paix intérieure. Vouez-vous du fond du coeur à une conception de paix et d'amour. Cette conception dominera toute votre pensée, dirigera votre vie affective et trouvera son expression adéquate dans tous vos actes.

Comment elle surmonta ses dépressions

Je voudrais relater ici le cas d'une jeune mère dont l'unique enfant était mort. Elle avait très profondément ressenti ce deuil. Elle tomba dans un état de mélancolie désespérée et souffrit d'une grave dépression. Son chagrin se manifesta bientôt par des symptômes physiques. Elle s'affaiblit et eut des accès très douloureux de migraine.

Avant de se marier, cette femme avait été infirmière. Aussi lui proposai-je de se rendre à l'hôpital de sa localité et d'offrir ses services au secteur de pédiatrie, où ils seraient certainement bienvenus en raison d'une pénurie permanente de personnel. Elle suivit mon conseil et fut engagée immédiatement. Or, il se trouvait là assez d'enfants dignes de compassion, qu'elle pouvait soigner, dorloter et choyer. Elle s'acquitta avec joie et dévouement de ses obligations. L'amour maternel resté latent en elle put s'y déployer. Elle soigna des enfants qui avaient grand besoin de son amour. Ainsi parvint-elle à recanaliser son amour devenu sans objet, ou plus exactement l'énergie psychique qui était à la base de cet amour. Elle utilisa cette énergie de manière utile et sensée, pour le plus grand bien des enfants dont elle avait la charge.

On appelle sublimation une telle conversion de l'énergie refoulée dans l'inconscient. Cette jeune femme trouva son accomplissement et son bonheur dans une activité socialement utile et agréable à Dieu. Elle recouvra ainsi la santé. Aujourd'hui, elle est devenu une jeune femme heureuse et libre.

Comment elle eut raison de sa contrariété

Voici une histoire plutôt gaie que me raconta une autre jeune femme, qui écoutait régulièrement mes cours sur la puissance de l'inconscient. Le comportement de ses voisins, m'avoua-t-elle, l'exposait parfois à la tentation de s'abandonner à des accès de colère.

Mais quelle fut la réaction de cette jeune femme? Se laissa-t-elle envahir par la contrariété? Pouvait-elle admettre que le mécontentement et la colère s'emparent de sa vie affective et soient refoulés dans son subconscient? Cete jeune femme refusa cette solution, qui en réalité n'en était pas une. Elle préféra libérer son énergie par l'activité physique. Il y avait toujours une fenêtre ou un plancher qui avaient besoin d'être nettoyés, ou quelque autre travail dans son ménage ou son jardin. Tandis qu'elle nettoyait et frottait, elle se disait: «Je nettoie mon esprit avec l'eau de l'amour et de la vie.» Et tandis qu'elle se défoulait dans son jardin, elle disait à haute voix: «Je bêche le jardin de Dieu et y cultive les idées de Dieu.»

C'était là une méthode fort simple, mais tout à fait efficace, pour se débarrasser d'émotions désagréables et les transposer dans une activité physique utile.

Un instantané de l'esprit

Au cours d'un entretien intéressant avec un jeune homme ayant étudié les sciences humaines à Paris, il fut question d'une technique qui lui avait rendu les meilleurs services.

Il s'efforçait, pour contrôler ses sentations et ses pensées, de les enregistrer «dans son esprit avec une netteté photographique». De même, il tentait de fixer ses propos, et même le son de sa voix, de manière à pouvoir se rendre compte de l'état d'humeur dans lequel il se trouvait. Si ce genre d'instantané photographique faisait apparaître quelque chose de négatif, il se disait: «Ceci ne vient pas de Dieu. Ceci est faux et destructif. Je veux me tourner vers Dieu qui est en moi, je veux essayer de penser et de sentir selon ses critères, qui sont la sagesse et la vérité.»

Peu à peu, cette technique lui était devenue un besoin et une habitude. Si quelque chose l'irritait, il se dérobait immédiatement au sentiment qui allait se faire jour en disant: «Ceci n'a rien à voir avec la manière dont la sagesse infinie qui réside en moi pense, s'exprime ou agit. Je veux penser, parler et agir selon les critères de Dieu et de son amour.»

Dans de pareilles situations, la technique employée importe peu. L'essentiel est de faire effectivement quelque chose dans la bonne direction. À cet égard, les méthodes les plus simples sont souvent les plus efficaces. Essayez donc vous aussi, quand vous risquez de vous irriter, de vous mettre en colère, d'être déprimé ou de désespérer, essayez alors de penser à Dieu, à son amour et à sa paix. Cela vous contraindra à une discipline intérieure et vous mènera à la maturité de l'esprit et du coeur.

Vous pouvez contrôler vos sentiments

Étudions tout d'abord ce que sont les sentiments et d'où ils viennent.

Admettons que vous voyez un infirme. Vous ne resteriez sans doute pas indifférent. Vous éprouveriez de la compassion pour cet homme. D'un autre côté, si vous regardiez jouer votre enfant, vous éprouveriez certainement un vif sentiment d'amour et de bonheur. Voir est une perception des sens parvenant à la conscience; en termes de psychologie, c'est une sensation, et plus exactement un message sensoriel.

Toute perception entraîne un sentiment. Même chose pour tout ce que vous imaginez ou pensez. Si vous vous souvenez de quelque chose de désagréable, si vous imaginez un incendie, si vous pensez à la guerre, ou simplement à votre patron, ceci déclenche aussitôt en vous des sentiments déterminés.

Ainsi, sachez que tout ce que vous ressentez, imaginez ou pensez s'accompagne de sentiments. Le sentiment est l'aspect personnel des choses vécues, c'est une réaction de l'âme à toutes les stimulations agissant de l'extérieur ou de l'intérieur. Au départ, il y a toujours une sensation parvenue à la conscience, une pensée ayant un contenu déterminé ou une représentation intellectuelle pour déclencher les sentiments. Chaque sentiment découle par conséquent d'un fait de conscience ou d'une idée intellectuelle. Donc, si vous voulez diriger vos sentiments, il faut commencer par contrôler votre imagination et votre pensée.

En déterminant le contenu de votre pensée, vous vous assurez la possibilité de remplacer la peur par l'amour, la méchanceté par la bonne volonté, la tristesse par la joie et le manque d'équilibre par la paix intérieure. Dès qu'un sentiment négatif se fait jour en vous, changez l'orientation de votre pensée pour lui donner un sens positif. De la sorte, vous implanterez l'amour dans votre esprit et dans votre vie affective. Au lieu de vous abandonner à la peur, dites-vous: «Je me trouve en harmonie avec Dieu, je n'ai rien à craindre.»

Aussi convient-il de fonder votre pensée sur une conception réservant la première place à la foi, à la confiance, à l'amour et à la paix. Toute pensée destructrice et faisant obstacle à la vie n'aura désormais plus de prise sur vous.

L'amour est le plus fort

Un pilote de l'aviation américaine qui venait de rentrer du Vietnam m'avoua en toute franchise avoir souvent eu peur au-dessus des lignes ennemies.

Mais il me raconta aussi comment, en pleine bataille et tout en faisant son devoir de soldat, il était parvenu à dominer sa peur. Il ne cessait alors de se répéter ceci: «L'amour de Dieu veille sur moi, sur mon équipage et sur mon appareil. Son amour nous indique la direction. Il nous guide et nous protège. Nous sommes confiés à sa présence.»

Cette prière s'imprima profondément dans son âme et l'emplit d'amour et de foi. Ce sentiment tout-puissant d'amour lui permit de vaincre sa peur. ... *Le parfait amour bannit la crainte* (I Jean 4:18).

La vie affective et ses effets

Vous avez certainement déjà remarqué que la peur apparaît dans l'expression du visage et des yeux, et qu'elle agit sur le coeur, l'appareil digestif et divers autres organes. Souvenez-vous simplement des effets provoqués sur vous par une mauvaise nouvelle ou par un choc psychique! Sans doute avez-vous eu l'occasion de constater l'amélioration surprenante de votre état quand vous appreniez que vous aviez été victime d'un malentendu ou que votre chagrin était sans fondement.

Tout mouvement affectif déclenché sour un aspect négatif est destructif et porte atteinte aux forces vitales de votre corps. Qui a constamment du chagrin et des soucis souffre généralement de troubles digestifs. Cela n'empêche pas toutefois des événements particulièrement agréables de normaliser la digestion d'un pessimiste endurci, car la circulation sanguine et les secrétions glandulaires de l'appareil digestif redeviennent normales.

Vous ne pouvez ni surmonter ni sublimer des sentiments négatifs en les refoulant ou en les étouffant. Si, pour une raison quelconque, vous refoulez des sentiments ou des élans intérieurs, l'énergie se trouvant à la base de ces sentiments et désormais soustraite à votre conscience s'accumule dans votre inconscient, où elle constitue littéralement une charge explosive. La pression augmente sans cesse — exactement commme dans un chauffe-eau dont les soupapes auraient été fermées — et provoque inévitablement une explosion.

L'école psychosomatique de la médecine moderne a prouvé depuis longtemps que des troubles mentaux, mais aussi de nombreux symptômes physiques tels que arthrite, asthme et affections cardiaques, voire même les accidents et, d'une manière plus générale, l'échec s'expliquent par des sentiments refoulés dans l'inconscient. Il peut s'agir de choses vécues dans un passé lointain et remontant à la jeunesse ou même à l'enfance. Les mouvements affectifs et élans mal assimilés, et par conséquent refoulés dans l'inconscient, subsistent dans ce dernier où ils forment la matière de conflits et d'explosions dangereuses, même si l'on ne prend pas conscience de leur présence. Car ce qui est conservé dans votre inconscient tend à se manifester dans votre vie demain ou après-demain, tôt ou tard.

Le sentiment positif de la foi et de la confiance

Les sentiments réprimés ou refoulés poursuivent leur existence dans les profondeurs obscures de l'inconscient. Ils constituent un danger latent pour votre vie affective ainsi que pour votre santé intellectuelle et physique. Il faut par conséquent prévenir de telles épreuves. À cette fin, vous disposez d'une technique simple, à fondement psychologique, qui ne manquera pas son effet. Il s'agit d'appliquer le principe de substitution.

S'il vous vient une pensée négative, ne la combattez pas; remplacez-la tout simplement par une pensée positive. Dites-vous: «Je crois en Dieu et au bien. L'amour de Dieu règne à tout moment sur moi.»

Vous verrez qu'une telle affirmation de votre foi dissipe les représentations et pensées négatives, tout comme la lumière dissipe les ténèbres.

Toutefois, si vous êtes tourmenté par l'inquiétude, la peur et les soucis, concentrez-vous sur la méditation des paroles bibliques ci-dessous. Priez en ces termes:

Yahwé est mon pasteur, je ne manque de rien (Ps. 23:1).

... Je ne crains aucun mal; près de moi ton bâton, ta houlette sont là qui me consolent (Ps. 23:4).

Dieu est pour nous... secours dans l'angoisse toujours offert (Ps. 46:2). *Yahwé est ma lumière et mon salut, de quoi aurais-je crainte? Yahwé est le rempart de ma vie, devant qui tremblerais-je?* (Ps. 27:1).

Méditez ces grandes vérités et cherchez en elles votre appui spirituel. Vous ne manquerez pas ainsi de déclencher en vous des sentiments positifs de foi et de confiance, qui mettront fin à toute émotion négative.

Observez-vous vos réactions?

Tout récemment, je demandai à un homme qui se plaignait d'ulcères de l'estomac et d'une tension artérielle trop élevée s'il avait le sens de l'observation. Sa réponse étant affirmative, je lui demandai s'il avait coutume de s'observer lui-même, s'il savait comment il réagissait envers son prochain en général et, par exemple, à l'égard de ses associés ou de certaines nouvelles diffusées à la radio ou dans la presse; s'il n'avait pas remarqué que, dans certaines situations, il réagissait conformément à un type de comportement plus ou moins constant.

«Non, me répondit-il, je n'ai jamais rien remarqué de semblable.»

Il paraissait s'accepter tel qu'il était, et s'en tenir là. Il ne montrait ni compréhension ni ambition à l'égard du développement psychique et spirituel. Néanmoins, il commença à réfléchir à sa manière de réagir dans diverses situations. Peu de temps après, il concéda qu'il était intensément surexcité par de nombreux articles de journaux et émissions télévisées. Assez souvent, avoua-t-il un peu confus, il s'était laissé aller à écrire des pamphlets corrosifs.

Il est évident que cet homme réagissait à la manière d'une machine, hors de tout contrôle. D'ailleurs, comment aurait-il pu agir autrement sans l'information nécessaire?

Est-ce que les journalistes, rédacteurs et producteurs qu'il critiquait d'une manière si acerbe avaient toujours tort, est-ce qu'il avait toujours raison? Cela était-il tellement sûr? Et surtout: était-ce vraiment l'essentiel? Non, précisément, ce n'était pas l'essentiel. J'essayai de le lui expliquer. Car ce qui comptait pour lui, homme malade, c'était le fait que ses explosions affectives, provoquées régulièrement par la critique et le refus, lui portaient tort et le privaient de sa santé, de sa vitalité et de sa paix intérieure. Par ailleurs, je lui fis remarquer que les personnes qu'il critiquait avaient elles aussi le droit et la liberté d'exprimer leur opinion et de défendre leurs convictions, que celles-ci fussent vraies ou fausses. Il lui fallait, lui dis-je, parvenir à ce degré de tolérance.

Il s'en rendit compte et prit la résolution de considérer désormais les choses sous un autre angle. D'abord, il reconnut à ces personnes le droit de dire tout ce qu'elles tenaient pour vrai et exact. Ensuite, il admit qu'elles lui reconnaîtraient également le droit d'exprimer librement une opinion opposée. Ce point de vue lui était apparu comme juste et raisonnable, d'autant plus qu'il était fondé sur la liberté et le respect mutuel. Il comprit que la haine à l'égard de personnes défendant une autre opinion était déplacée et trahissait un manque de maturité affective.

Il s'en tint à ce point de vue. La prière ci-dessous l'y aida: «Désormais, je penserai, sentirai et agirai juste. Je ferai ce qui est juste et m'en tiendrai là. Je pense, parle et écris sans parti pris ni préjugés. Je ne réagis plus désormais comme un ignorant fanatique, mais à partir de l'esprit divin qui réside en moi. Je souhaite du fond du coeur que tous les hommes puissent vivre en liberté et jouir pleinement de leur droit à la vie et au bonheur. J'observe la règle d'or et la loi de l'amour.»

En quelques semaines, les ulcères d'estomac disparurent et la pression artérielle devint tout à fait normale. L'examen médical révéla que la guérison était complète. Son nouvel état d'esprit lui avait permis de recouvrer la santé.

Nous vivons dans deux univers différents

Votre vie se déroule d'une part dans l'univers extérieur et d'autre part dans votre univers intérieur. L'univers extérieur est visible et existe objectivement. L'univers intérieur, par contre, est invisible et subjectif. Nous percevons par nos cinq sens l'univers extérieur auquel chacun participe avec nous (dans chaque sensation cependant — dans la prise de conscience et la tonalité affective — le moi subjectif joue déjà un rôle, de sorte que les impressions reçues de l'univers extérieur sont subjectivement différentes). Par contre, l'univers intérieur est objectivement invisible et ne peut être perçu que par l'intuition: il s'agit de vos sensations (dans la mesure où elles deviennent conscientes), de vos représentations, pensées, sentiments et volonté, ainsi que de l'inconscient. Mais cet univers intérieur du moi psychique vous appartient à vous seul.

Essayez de savoir où se déroule votre vie véritable, où vous vous sentez chez vous. Est-ce que vous vivez dans l'univers perçu par vos sens? Est-ce que la partie essentielle de votre vie ne se déroule pas au niveau de votre moi intérieur? Il est évident que la réponse doit être en faveur de l'univers intérieur. Car c'est là que vous éprouvez bonheur et tristesse, joie et souffrance.

Une hypothèse: vous êtes invité à un banquet. Tout ce que vous voyez, entendez, goûtez, sentez et touchez provient de l'univers extérieur. Tout ce que vous pensez et ressentez, aimez ou n'aimez pas provient de l'univers intérieur. L'événement que vous vivez a deux aspects, c'est exactement comme si vous assistiez simultanément à deux festins: celui se déroulant dans l'univers extérieur et celui vécu dans votre univers intérieur. Vous assistez à ces deux festins.

Les impressions décisives vous parviennent toujours au niveau de votre vie consciente et affective. Ce que vous vivez intérieurement vous marque et vous domine, vous déchire, vous enfonce ou vous élève.

La métamorphose intérieure

Pour changer, il faut commencer par l'intérieur. Il faut se gouverner spirituellement en pensant juste et apprendre à purifier la vie affective. Vous parviendrez à l'épanouissement spirituel et à la maturité affective à condition de transformer radicalement votre personnalité.

Nous savons tous qu'il est possible de transformer la matière. Par exemple, on obtient de l'alcool par la fermentation du sucre. Sous l'effet de radiations, le radium se désintègre lentement pour se transformer en plomb. La nourriture absorbée par l'homme est transformée par des processus biochimiques de manière à fournir à l'organisme les substances vitales nécessaires.

De manière tout à fait semblable à la transformation de la matière, votre personnalité intérieure doit se transformer.

Les événements extérieurs vous sont communiqués par des stimulations extérieures donnant lieu à des sensations. Vous recevez des impressions dont vous prenez conscience et qui possèdent une certaine tonalité affective. Le contenu de votre sensation — la chose ressentie — diffère selon les individus. Mais, en fonction de votre attitude intellectuelle et affective, vous pouvez assimiler différemment les sensations reçues. Supposons que vous rencontriez une personne que vous aimez et admirez d'emblée. Vous avez d'elle une certaine impression. Supposons maintenant que vous rencontriez une personne vous paraissant tout à fait antipathique. Vous en aurez une impression complètement différente. Quelqu'un d'autre aurait peut-être une impression opposée et réagirait en sens inverse. Autre hypothèse: votre mari ou votre fille — qui, à l'instant même où vous lisez, se livrent dans la même pièce que vous à d'autres occupations — ne sont-ils pas pour vous l'idée que vous vous faites d'eux? En un mot: vous recevez vos impressions de l'univers extérieur par le filtre de votre esprit.

Les impressions que vous avez des personnes de votre entourage revêtent la plus grande importance. Ces impressions, vous pouvez les influencer et même les modifier — à condition de changer vous-même votre pensée, vos sentiments, votre volonté. Pour changer votre vie, il faut surtout que vous transformiez vos réactions affectives. Avez-vous tendance à réagir de façon plus ou moins constante? Êtes-vous porté à l'optimisme ou au pessimisme? Êtes-vous ouvert à l'amour et au bonheur, ou votre vie est-elle vouée au dépit et au chagrin? Si vous avez tendance à avoir des réactions affectives négatives, vous serez inévitablement entraîné dans les remous de la mélancolie dépressive et de la maladie physique. Dans votre vie quotidienne, il vous faut prévenir une telle évolution. Ne tolérez jamais que votre vie quotidienne devienne une chaîne de réactions négatives.

Un changement intérieur total n'est toutefois possible que si vous repoussez la moindre pensée négative. Vous y serez aidé par votre foi en l'amour de Dieu et par la prière pour une vie faite d'amour. La prière a le pouvoir de faire de vous un homme nouveau et meilleur — sur le plan spirituel, moral et physique. «Qui demande par la prière un moi meilleur sera exaucé.» (George Meredith)

La prière est un merveilleux remède à tous les chagrins et à toutes les détresses : *Venez à moi, vous tous qui peinez et ployez sous le fardeau, et moi je vous soulagerai* (Matthieu 11:28).

Pour terminer, je voudrais citer ici un proverbe inspiré par la sagesse birmane: «Les pensées du coeur font la richesse d'un homme.»

Prière pour obtenir la métamorphose intérieure

L'homme longanime est plein de sens, l'impatient est plein de folie (Proverbes 14:29).

«Je suis toujours pondéré, calme et serein. La paix de Dieu pénètre mon esprit et mon âme, mon être entier. Je suis de bonne volonté et souhaite sincèrement la paix à tous les hommes.

«Je sais que l'amour du bien emplit mon âme et dissipe toute crainte. Je vis maintenant dans l'attente joyeuse du bien. Mon esprit est libre de doutes et de soucis. Comme ces paroles me viennent de l'âme, elle effacent toute pensée négative et tout sentiment négatif en moi. Je ne garde rancune à personne dans mon coeur. J'ouvre mon coeur à Dieu qui est omniprésent. Mon être entier est éclairé de l'intérieur.

«Les contrariétés de la vie ne m'affectent plus désormais. Si les doutes, la peur, les soucis m'assaillent, la foi leur interdira l'accès — ma foi profonde dans le vrai, le bon et le beau, ma foi en Dieu.»

RÉSUMÉ

1. Vous devez apprendre à contrôler et à diriger dans votre vie quotidienne vos pensées, vos sentiments et vos réactions.

2. Vous êtes parvenu à la maturité affective si vous pensez, parlez, ressentez et agissez à partir du centre que constitue en vous l'esprit divin — votre moi supérieur donné par Dieu.

3. Une conception fausse, qui domine votre esprit et vous enchaîne, est pour vous le joug le plus pénible. Vouez-vous de tout votre coeur à la conception de la paix et de l'amour.

4. L'amour est un lien affectif. Répandez l'amour et la bonne volonté. Vous vous délivrez ainsi des sentiments négatifs refoulés dans l'inconscient.

5. Il y a toujours un moyen de se défouler des contrariétés. Soulagez-vous par une activité physique, qu'il s'agisse d'un jeu ou d'un travail.

6. Dérobez-vous à toute contrariété en vous disant: «Je pense, je parle et j'agis maintenant selon les critères de la sagesse et de la beauté, de la vérité et de l'amour.»

7. Si vous voulez gouverner votre vie affective, il vous faut contrôler votre imagination et votre pensée. Implantez l'amour dans votre esprit.

8. La foi en Dieu et dans le bien dissipe toute crainte.

9. Les sentiments réprimés ou refoulés sont la cause de nombreuses maladies physiques. Ce qui est conservé dans votre subconscient pénètre tôt ou tard dans votre vie.

10. Si une pensée négative vous vient, substituez-y une pensée positive. Dites-vous: «Je crois en Dieu et au bien.» Une telle formule, fournie par le sentiment positif de la foi et de la confiance, dissipe toutes les pensées et tous les sentiments négatifs.

11. Comment réagissez-vous — sur le plan intellectuel et affectif — devant les expériences vécues? Vous êtes le maître de vos réactions affectives. Pensez juste, sentez juste, agissez juste. Personne ne peut vous détourner de la juste voie. Votre pensée précède votre action et la détermine. Croyez en Dieu, et en sa puissance qui accompagne votre foi dans le bien.

12. Votre vie se déroule simultanément dans l'univers extérieur perçu par vos cinq sens, et dans l'univers intérieur de vos pensées, sentiments, imaginations, convictions et aspirations subjectives. Ce

que vous vivez intérieurement est décisif, car vous contrôlez ainsi les impressions reçues de l'extérieur.

13. Pour changer, il vous faut purifier votre vie affective en pensant juste. C'est votre pensée qui détermine vos réactions affectives.

14. Pour changer votre vie, il vous faut modifier votre état d'esprit face à la vie et à vos semblables. Vous recevez vos impressions du monde extérieur à travers le filtre de votre esprit. Aussi votre pensée doit-elle être orientée vers le positif. Voyez dans vos semblables et en vous-même ce qui est divin. Alors, vous constaterez en vous-même un merveilleux changement intérieur.

CHAPITRE 11

La loi exaltante de l'harmonie conjugale

Le mariage est la plus belle communauté de ce monde. L'alliance pour la vie ne devrait être conclue par l'homme et la femme qu'avec un profond respect et avec la conscience de contracter une union sacrée. Le mariage et la famille sont et restent les piliers de notre société et de notre civilisation.

Tout mariage doit reposer sur une base spirituelle. Sans une profonde affinité spirituelle il n'y a pas pour les conjoints de mariage heureux et vraiment accompli. Dans l'union pour la vie de deux êtres humains, leur rapport spirituel et leur accord, tant sur les principes que sur les détails, revêtent la plus grande importance. Le ménage heureux ne perd pas de vue l'idéal divin et s'efforce de le réaliser dans sa vie; il s'efforce de connaître et d'observer les lois de la vie et recherche l'unité consciente des partenaires au plan de la pensée, des actes, des sentiments, des désirs et des réalisations. C'est de cette communauté spirituelle sacrée que découlent tous les bienfaits qui font de l'expérience intérieure et de l'organisation extérieure du mariage une source de joie et de bonheur harmonieux.

L'amour unit et la peur divise

Une dame de mes connaissances vivait dans la peur constante d'être abandonnée par son mari. Cette peur, qui dominait toute sa vie affective, s'était inévitablement et inconsciemment transmise à son mari.

Celui-ci n'avait pas la moindre idée des lois de la vie consciente, ni des processus psychiques et spirituels de l'inconscient. Il n'aurait jamais envisagé la possibilité d'une transmission inconsciente de la pensée. Le sentiment qu'il devait quitter sa femme s'imposa tout simplement à lui. Mais, dans ce sentiment parvenu à sa conscience claire, il ne discerna pas la crainte ressentie par sa femme, mais le désir de celle-ci interprété subjectivement par lui.

Un matin, il lui dit: «J'ai l'impression que tu ne veux pas poursuivre la vie commune avec moi. Tu veux par conséquent que je m'en aille. Cette impression ne m'est pas venue aujourd'hui. Mais cette nuit, j'ai fait un rêve. Tu me disais: «Va-t-en. Je ne veux pas te supporter davantage auprès de moi. Par conséquent, je t'en prie, pars!» Cet homme était complètement abattu. Sa femme fut si surprise qu'elle en resta d'abord stupéfaite. Elle se rendit compte que, pour sauver son mariage, elle devait révéler le secret jalousement gardé de ses craintes. Elle avoua donc à son mari sa peur — devenue habitude — de le voir la quitter. Elle lui expliqua aussi que son impression et son rêve ne pouvaient être qu'une dramatisation inconsciente de la peur issue de sa propre vie affective. Elle lui avoua sa crainte et son amour. Et son mari la comprit.

Sous l'effet de cet incident, la femme souhaita vivement se libérer de sa peur injustifiée et tout faire pour le bonheur de son ménage. Elle ne s'en tint pas à ces bonnes résolutions, et pria aussi tous les soirs avant de s'endormir. Elle désira voir son mari rayonnant et heureux. À cette fin, elle se le représenta ainsi et s'imprégna du sentiment correspondant à cette représentation.

Elle saisit aussi chaque occasion de lui témoigner sa bonne volonté. Par toutes les petites amabilités et attentions qu'elle lui prodiguait chaque jour, elle répandit une atmosphère d'amour et de paisible harmonie. Elle fit comprendre à toute occasion à son mari ce qu'elle ressentait elle-même et tenait pour vrai: qu'il l'aimait, qu'il était aimé et qu'il était un mari aimable et bon.

Cette femme fit l'expérience d'une grande vérité, à savoir que l'amour et la confiance assurent le bonheur d'un ménage.

Libéré par la vérité

La doctoresse Hester Brunt, décédée depuis, me présenta, à l'issue d'une conférence que je venais de tenir au Cap, un homme sur lequel pesait un lourd passé. Il avait purgé dans sa jeunesse une peine de deux ans de prison en Angleterre. Après sa libération, il avait trouvé une place à Johannesburg dans une banque, et y avait fait sa carrière. Il avait épousé une femme de bonne famille en Afrique du Sud. Deux fils naquirent de ce mariage. Vu de l'extérieur, son bonheur semblait parfait.

Mais son passé obscur le faisait vivre dans une crainte constante. Il ne craignait pas seulement que sa femme et ses fils découvrent son passé, il avait aussi peur des conséquences pouvant en résulter. La presse s'intéressait à son cas, et assurément, sa femme, devant un tel scandale, demanderait immédiatement le divorce. Une telle publicité ne manquerait pas de ruiner aussi l'avenir de ses fils. La crainte et les soucis obscurcissaient son existence entière. Sa crainte, devenue chronique, donna lieu à une névrose grave. Explosions affectives et accès de colère envers sa femme et ses fils étaient quotidiens.

La doctoresse Brunt m'avait raconté le passé de cet homme. Mais même si je n'avais pas été au courant, je n'aurais pas manqué de voir que quelque chose n'allait pas. Effectivement, il se portait très mal, d'autant plus qu'il refusait obstinément à se laisser administrer les piqûres prescrites par son médecin, et qu'il refusait avec autant d'obstination de prendre des médicaments. Spontanément, lorsque nous fûmes seuls, je lui demandai: «Qu'est-ce qui vous ronge ainsi intérieurement?»

Il me raconta son histoire. Comme on pouvait le prévoir, tout tournait autour de cette faute de jeunesse et de la peine qu'il avait purgée.

Mais la doctoresse Brunt et la femme de cet homme elle-même m'avaient informé de faits dont il ne savait rien. En accord avec elles, je lui déclarai alors que non seulement son épouse et ses fils, mais aussi la doctoresse Brunt et ses supérieurs de la banque connaissaient depuis longtemps déjà sa faute de jeunesse. Effectivement, sa femme avait appris ce point faible de son passé avant même de l'épouser. Mais elle n'y avait jamais fait allusion, car elle savait qu'il avait complètement changé et n'avait plus rien de commun avec le délinquant de jadis. La page était tournée, et le passé de son mari ne la concernait pas. Revenir sur cette histoire n'aurait eu d'autre effet que de le blesser.

Quand cet homme apprit que toutes les personnes ayant une importance dans sa vie connaissaient son passé et ne l'avaient pas laissé tomber pour autant, il se rendit compte qu'il était aimé pour lui-même, tel qu'il était maintenant. Son médecin ne put que s'étonner de voir son malade guérir si rapidement, presque du jour au lendemain. Les troubles de sa vie affective et les symptômes physiques étaient uniquement liés aux obsessions suscitées par la peur. Libéré de cette oppression psychique, il changea entièrement son attitude du jour au lendemain, et put mener une vie harmonieuse et heureuse au sein de sa famille.

Le secret de sa liberté

Lors d'un voyage, je rencontrai à Hawaï une jeune dame très charmante, non seulement jolie, mais aussi intelligente. Je fus d'autant plus surpris du problème qui l'affligeait.

Elle avait une horreur inimaginable de toute croisière en bateau car elle avait peur de la mer. Or, son fiancé, un homme d'affaires aisé, propriétaire d'un beau yacht dont il était très fier, s'était déjà lancé dans les préparatifs d'un voyage de noces hors du commun: il s'agissait, avec le yacht, de faire un véritable tour du monde. Mais la jeune fille n'avait pas encore osé avouer à son fiancé la peur et la répulsion que la mer lui inspirait. La crise approchait. Il ne semblait plus y avoir d'autre issue qu'une rupture de fiançailles. «Comment puis-je lui expliquer que j'ai peur? me demanda-t-elle. J'en ai honte. Ce serait pour moi une humiliation, il m'est impossible de le lui dire. Je préfère encore me retirer. Je ne peux avoir pour mari un homme passionné de la mer.»

Je lui expliquai que le dilemme n'était pas si grave, car elle pouvait se libérer de la peur, sans aucun doute anormale, qu'elle avait de la mer. Il lui suffisait pour cela d'une prière particulière. Je lui remis le texte d'une prière rédigée par J. Rogers, commandant d'un bâtiment de commerce américain pendant la Deuxième Guerre mondiale; cette «adaptation du psaume 23 à la marine» fut alors distribuée à l'équipage (le texte en a été publié dans le Navy Chaplains Bulletin à Washington).

Cette jeune fille ne paraissant pas convaincue d'emblée, je lui expliquai que la répétition régulière de cette prière, qu'elle devait dire plusieurs fois par jour à haute voix, permettrait d'en imprimer le texte dans sa conscience d'abord, puis dans son subconscient. Ainsi, la peur refoulée dans son inconscient serait éliminée. L'*Adaptation du psaume 23 («Le bon pasteur») à la marine* est rédigée en ces termes:

«Le Seigneur est mon pilote, je n'irai pas à la dérive. Il éclaire ma voie dans les eaux sombres, il me dirige le long des bas-fonds, il tient mon loch. Il me guide par l'étoile du salut pour l'amour de son nom. Et même si je traverse les ténébreuses tempêtes de la vie, je ne redoute aucun malheur. Car tu es auprès de moi, ton amour et ta providence me protègent. Avant mon arrivée, tu me prépares un havre au pays éternel. Tu oins d'huile les vagues, et mon navire glisse paisiblement. Le soleil et les étoiles me suivront durant ma traversée, et je resterai pour toujours en sécurité dans le port du Seigneur.»

La jeune fille suivit mon conseil. Elle parvint à imprégner son inconscient des vérités de sa prière quotidienne et à les incorporer à sa vie affective. Là où sa peur avait naguère ses racines, elle planta la foi en Dieu qui nous guide et assure notre sécurité dans les tempêtes de la vie. Elle abolit en elle toute crainte, et celle-ci se dissipa comme l'ombre devant la lumière.

Il voulait divorcer

Considérons le cas de May, mariée depuis quarante ans. Elle avait aidé son mari dans ses affaires et largement contribué à son succès. Elle lui avait donné aussi quatre enfants et les avait élevés.

Elle tomba des nues lorsqu'il lui demanda un jour de consentir au divorce, afin de pouvoir épouser sa cousine. May se sentit accablée, anéantie, et envisagea l'avenir sous les couleurs les plus sombres.

Si terrible que fût le choc au premier abord, elle ne tarda pas à se ressaisir. Elle fit confiance aux forces spirituelles qui résidaient en elle, et eut recours aux techniques décrites dans le présent livre. Elle y découvrit une source de force, d'encouragement et d'inspiration.

Elle vendit sa mise de fonds et partit pour un voyage autour du monde. Quand elle se sentait seule et abandonnée, elle trouvait toujours une consolation dans la prière. Elle priait régulièrement: «La sagesse divine qui réside en moi m'apportera un mari avec lequel je m'entendrai parfaitement.»

Elle rencontra cet homme avant même la fin de son voyage. Le couple se maria à Paris. Le courage constant de cette femme lui procura non seulement un bonheur nouveau et plus complet, mais aussi une estime et une affection nouvelles de la part de ses enfants et de ses amis. Ce qui avait commencé par une catastrophe se termina par une vie plus noble, mieux remplie et plus agréable à Dieu. Elle avait su remédier à l'horreur du désespoir et de la solitude en se laissant conduire par la sagesse intérieure.

Mariée cinq fois

Une femme âgée de 28 ans à peine m'étonna par ces propos: «J'en suis à mon cinquième mariage, et mon mari actuel est pire que tous les précédents. Je n'attends plus que le jugement, dans quelques mois le divorce sera prononcé et tout sera fini.»

Elle était aigrie au plus haut point et ne pouvait penser sans haine à ses divers maris. J'essayai de lui faire comprendre la source du mal. La cause de cette malheureuse réaction en chaîne dont elle avait été la victime résidant en elle-même, ou plus exactement dans son attitude intransigeante, haineuse et amère à l'égard de ses maris antérieurs. Chaque déception nouvelle l'avait durcie davantage. Sa haine avait de profondes racines dans son inconscient. Aussi attirait-elle tout naturellement des hommes du même type, et chaque nouveau mari — en fonction du durcissement croissant de la jeune femme — était pire que son prédécesseur. Aussi devait-elle, si elle ne voulait pas renoncer définitivement à un mariage heureux, apprendre à pardonner sincèrement à ses partenaires antérieurs. Bien entendu, jusqu'au jour où je lui donnai cette explication, la jeune femme n'avait jamais eu la moindre idée de ces causes profondes. Il n'était certes pas dans ses intentions de choisir chaque fois un mari plus insupportable que le précédent. Elle agissait de manière tout à fait inconsciente. De manière inconsciente et involontaire, son comportement haineux produisait donc ses effets logiques, selon la loi de l'attraction. J'ai déjà fait mention de cette loi dans le présent ouvrage, aussi me bornerai-je ici à rappeler cette vérité proverbiale: «Qui se ressemble s'assemble.»

Il lui fallait donc pardonner aux partenaires de ses mariages malchanceux, et se pardonner à elle-même. Mais pardonner, c'est s'accorder la paix en substituant dans sa vie affective l'amour à la haine. Ainsi seulement devient-on libre.

La jeune femme prit en quelque sorte paisiblement congé de ses anciens partenaires en disant la prière suivante: «Je vous laisse partir en paix et vous souhaite santé et prospérité, amour et bonheur.» Ses idées sur l'amour et le mariage se modifièrent. Elles devinrent moins superficielles et l'aspect spirituel y trouva la place qui lui est due. La prière ci-dessous l'aida à changer tant son attitude intérieure que sa conception du mariage.

«Je me sens maintenant une avec Dieu. C'est en lui que je vis, en lui que réside tout mon être. Dieu est la vie. Cette vie est la vie de tous les humains, hommes et femmes. Nous sommes tous les fils et les filles du même père. Je crois et je sais qu'il existe un homme qui m'aimera et veillera sur moi. Je sais aussi que je pourrai contribuer à son bonheur et à sa paix. Il apprécie mon idéal. Il ne veut pas me rééduquer, et je ne veux pas le rééduquer. Cela n'est pas nécessaire. Car nos rapports sont fondés sur l'amour, la liberté et le respect mutuel.

«Je me représente très nettement les qualités que je voudrais apprécier et aimer chez mon mari. Je m'identifie en pensée avec ses qualités, de sorte qu'elles deviennent aussi les miennes. Nous nous connaissons et nous nous aimons dans l'esprit donné par Dieu. Je vois Dieu à travers lui, il voit Dieu à travers moi. Comme j'ai rencontré mon mari intérieurement, je le rencontrerai aussi dans l'univers extérieur. La loi de mon esprit dynamique et créateur le veut ainsi.

«Ces paroles sont sincères et seront exaucées. Mon voeu est en train de s'accomplir. Il est accompli. Dieu, je te remercie.»

Quelques semaines plus tard, la jeune femme dut se faire arracher une dent de sagesse. Ce fut le début d'une amitié entre elle et le dentiste, et cette amitié tissa des liens de plus en plus étroits entre eux. Cet homme désire maintenant l'épouser. Elle dit à ce sujet: «Je savais intuitivement que je venais de rencontrer en lui l'homme que j'avais demandé dans mes prières. Ce fut le coup de foudre, et nous sommes unis par une compréhension profonde.»

Cette jeune femme n'est plus la même. Tout porte à croire qu'avec lui — un homme très cultivé et très bon — elle vivra un mariage heureux.

Comment il trouva la femme qui lui convenait

Cet homme avait dû mener à New York une vie épuisante. Il était en effet extrêmment malheureux, désespéré, à bout de force. Que s'était-il passé? Qu'est-ce qui lui avait ainsi fait perdre son équilibre?

Une femme. Ou plutôt: la femme sans laquelle «il ne pouvait plus vivre». Il avait eu des relations avec elle pendant trois ans, elle se l'était attaché tout en le faisant languir. Alors, il avait exigé une décision, mais elle avait repoussé sa demande en mariage. Il me dit: «Sans cette femme, je ne peux plus vivre. Je vais mettre fin à mes jours.»

Je fis tout mon possible pour lui remonter le moral. Il accepta de reprendre confiance et de chercher refuge dans la prière. Je lui demandai de s'en tenir au texte ci-dessous:

«Dieu est un et indivisible. C'est en lui que nous vivons, en lui que nous avons notre être entier. Je crois et je sais que Dieu réside en chaque homme. Je me sens un avec Dieu, et avec tous les humains. J'attire maintenant la femme qui me comprend et qui me convient. Je suis en union spirituelle avec elle par l'intermédiaire de Dieu. Je sais que je peux donner à cette femme amour et illumination. Je sais que je peux lui donner une vie pleine et heureuse.

«Je plais à une femme ayant des qualités déterminées, une femme cultivée, sincère, croyante et fidèle, une femme équilibrée, heureuse et en paix avec elle-même. Nous éprouvons l'un pour l'autre une attirance irrésistible. Dans ma vie ne peut se réaliser que ce qui découle de l'amour et de la vérité, ce qui est entier. J'accepte avec reconnaissance qu'il existe une femme idéale pour moi.»

Il se représenta intellectuellement et affectivement la teneur de cette prière, qu'il récita tous les matins et tous les soirs. Il vécut cette prière intérieurement et en fit une expérience subjective, un fait de sa vie intérieure.

Son souhait ne se réalisa pas du jour au lendemain, mais au bout de quelques mois. Dans le hall de réception d'un hôtel où il était descendu, il rencontra une employée de l'hôtel qui exerça immédiatement sur lui une grande attirance. Il trouva en elle la femme qu'il aimait vraiment et l'épousa peu de temps après. Ils étaient faits l'un pour l'autre: un couple idéal.

Il reste à caractériser la femme qui l'avait poussé au bord du suicide. Comme on le constata lors de son arrestation, elle avait mené une vie plus que double. Elle s'était mariée plusieurs fois sans prendre la peine de divorcer, et était recherchée par la police à cause de divers délits. Du fait que les relations malheureuses de cette homme avec cette femme n'avaient absolument rien de profond, personne ne s'étonna qu'elle l'ait dupé et trompé, comme les autres hommes de son entourage.

Elle s'adapta à l'homme qui lui convenait

Une jeune secrétaire, qui travaillait chez un avocat londonien, laissa un jour s'épancher son coeur passablement troublé. «J'aime mon patron, m'affirma-t-elle. Bien sûr, il est marié et a quatre enfants, mais cela m'est égal. Je le veux, et je l'aurai, qu'il le veuille ou non.»

À ce moment, je dus prendre l'affaire au sérieux, car la jeune fille semblait bien décidée à faire irruption dans la vie de famille de son patron et à imposer sa volonté. Son patron, il est vrai, ignorait tout de l'ambition amoureuse de sa secrétaire. J'en appelai à la conscience de celle-ci. Je lui affirmai ne pas croire qu'elle aimât son patron, un homme marié; ce qu'elle désirait en réalité, c'était se marier et avoir des enfants, être aimée, choyée et admirée. Or, elle pouvait sans difficulté trouver le partenaire idéal, un homme encore libre et capable de lui offrir tout cela sans la moindre hypothèque. Je l'invitai à prier pour que ce souhait fût exaucé.

Je n'exclus pas que la «conquête» de son patron puisse éventuellement lui réussir. Mais même dans l'hypothèse la plus favorable pour elle, il en résulterait des problèmes et des difficultés, car des sentiments de culpabilité et de mépris de soi-même seraient les conséquences inévitables d'un comportement aussi irresponsable. *Tu ne convoiteras pas la femme de ton prochain* (2. Moïse 20:17).

Et je lui rappelai également cet autre grand précepte: *Ainsi, tout ce que vous désirez que les autres fassent pour vous, faites-le vous-même pour eux* (Matthieu 7:12). Ce commandement résume la règle d'or pour une vie heureuse et couronnée de succès. Qui obéit aveuglément et égoïstement à ses désirs fait fi de cette règle, à son propre désavantage.

Je lui posai les questions suivantes: «Que penserait de vous la famille de cet homme si vous l'enleviez à sa femme et à ses enfants? Comment les parents, frères et soeurs de cet homme vous accueilleraient-ils, vous, sa nouvelle épouse?» Sans attendre sa réponse à mes questions purement rhétoriques, je continuai: «Vous souhaitez naturellement que la famille de votre mari vous tienne pour une jeune dame noble, aimable et digne de son mari, une qui pense et agit avec sincérité et honnêteté. Et, à votre avis, même l'épouse abandonnée devrait penser de vous la même chose. Réfléchissez maintenant à tout cela, et voyez si vous tenez encore à faire irruption dans cette famille.»

D'un coup, elle se rendit compte qu'elle n'était pas dans la bonne voie. Elle se mit à pleurer à chaudes larmes. Son patron n'entra plus pour elle en ligne de compte. Elle voulut trouver le mari qui lui convenait en s'adaptant consciemment à lui, et sans que d'autres personnes dussent souffrir de son choix. Dans sa prière quotidienne, elle se suggéra désormais: «Je suis à même d'attirer le mari qui me convient intellectuellement, affectivement et physiquement. Il vient à moi sans désavantage et conformément au plan de la providence.»

Peu après, elle épousa un jeune chimiste. Ainsi apprit-elle qu'il existe une loi spirituelle selon laquelle se réalise dans la vie ce que l'on a accepté et vécu intérieurement comme étant donné et vrai.

L'unité de l'amour

Un mari trompe sa femme. Que faut-il en conclure? Nous devons déduire de son comportement qu'il manque d'amour et d'estime pour sa femme. S'il avait, en effet, trouvé la partenaire idéale lui convenant à tous égards pour un mariage fondé sur une communauté spirituelle, il ne chercherait pas une autre femme. L'amour est exclusif et fait d'un couple qui s'aime une unité. L'amour parfait entre deux êtres humains exclut tout autre partenaire.

Un homme marié qui se lie à d'autres femmes — celles-ci n'étant jamais par hasard les partenaires de son propre adultère, car elles personnifient littéralement sa tendance dans ce sens — «épouse» (car il doit s'identifier avec eux intellectuellement et affectivement) toute une série de conflits affectifs négatifs: il se sentira frustré, sera porté à rejeter intérieurement et à mépriser la femme en général, il sera de mauvaise humeur et deviendra cynique. Un mari qui aime véritablement sa femme mène une existence accomplie et pleine de sens. Seul abandonne pour une quelconque aventure la femme qu'il a épousée celui qui n'a jamais connu l'amour vrai ni le merveilleux sentiment d'être uni. Un tel homme est frustré, souffre d'un complexe d'infériorité et — sans aucun doute — de sentiments de culpabilité profondément enracinés dans sa vie affective.

Les femmes que rencontre et attire un tel homme sont nécessairement le reflet de son propre état psychique et spirituel: elles sont intérieurement déséquilibrées et déchirées, elles ont les mêmes symptômes névrotiques que lui. L'homme peut voir et entendre chez ses partenaires la houle de sa propre vie affective. En un mot: les partenaires qu'il choisit et qui répondent à ses avances ne sont pas moins frustrées que lui, pas moins déséquilibrées sur le plan psychique et spirituel, pas moins dépourvues d'assurance que lui au point de vue affectif. «Qui se ressemble s'assemble.»

Évitez les impasses

«Pendant quatre ans, j'ai fréquenté un homme marié. Il m'est toujours cher. Je l'aime. Je ne peux pas renoncer à lui.»

La femme qui parlait ainsi avait laissé passer l'occasion d'être aimée et épousée par un homme qui n'appartiendrait qu'à elle et lui convenait parfaitement. Elle se satisfaisait d'un succédané de bonheur en recherchant une compensation dans l'adultère par lequel elle volait le mari d'une autre femme. Elle souffrait d'un profond complexe d'infériorité. Sa vie entière trahissait son manque d'assurance et son instabilité.

Ce genre de vie n'aboutit que trop souvent à une impasse. Cette voie est généralement pavée de stupéfiants et de tranquillisants, et prend fin bien souvent sur une dose mortelle de somnifères. Point ne me fut besoin d'un grand pouvoir de conviction pour lui démontrer le danger auquel elle était exposée, car elle s'en rendait déjà plus ou moins compte à la lumière de sa propre expérience. Cet homme, au cours de ces quatre ans, n'avait-il pas apporté la preuve qu'il n'avait pas l'intention de quitter sa femme? Depuis longtemps, elle ne pouvait plus espérer être un jour épousée par lui. Je fis comprendre à cette femme que l'homme en question ne mettrait pas fin à leur liaison tant qu'il y trouverait un plaisir physique; mais un jour, lassé d'elle, il la laisserait les mains vides, sans la dédommager ni de son temps ni de sa jeunesse.

«Vous aussi, lui dis-je, vous désirez par-dessus tout un mari qui vous aime, un foyer, des enfants et une situation vous procurant l'estime de vos voisins, amis et parents.»

C'était bien là ce qu'elle désirait. Elle commença par mettre fin à cette liaison. Ensuite, elle se prépara à rencontrer le mari qui lui conviendrait. Elle ne se laissa pas aller plus longtemps à la dérive et se prépara consciemment au bonheur qui l'attendait. À cette fin, elle eut recours à la prière figurant dans le présent chapitre.

Cette femme est aujourd'hui mariée et heureuse. Elle connaît les forces spirituelles qui résident en elle, et s'est délivrée de son complexe d'infériorité.

Dois-je divorcer?

Voilà une question qui m'est souvent posée. Mais il n'est certainement pas simple d'y répondre. Et surtout, on ne peut y donner une réponse générale, car les problèmes et les motivations se trouvant en arrière-plan diffèrent beaucoup selon les individus. Il est toutefois certain que, dans bien des cas, le divorce n'est pas une solution. Pas plus que le mariage n'est nécessairement une solution aux problèmes d'un homme célibataire.

Ce qui vaut pour l'un ne vaut pas nécessairement pour l'autre. Ceci est également vrai en matière de divorce. Mais il est vrai aussi qu'il n'y a rien de déshonorant à être divorcé. Il est certainement des femmes divorcées qui mènent une existence noble et agréable à Dieu. De même, il existe des femmes mariées qui préfèrent une vie de mensonge à un divorce, mais n'en sont pas meilleures pour autant.

Malheureusement, il existe aussi des cas dans lesquels, dès le début, il n'a pu être question d'un mariage véritable. Des cas où règnent la mésentente et la répulsion; alors, surtout lorsqu'il y a des enfants, il est certainement préférable que les parents se séparent. Pour un enfant, il vaut beaucoup mieux grandir sous la garde de l'un de ses parents et être aimé de celui-ci que d'être exposé à la haine et aux querelles des parents et assister jour après jour aux scènes les plus violentes. Lorsque les parents ne sont pas animés de bonne volonté et ne créent pas une atmosphère d'amour et d'entente, les enfants ne sont jamais heureux. La famille exerce une influence déterminante sur l'enfant. Trop souvent, le manque d'amour entre les parents détériore la vie affective de l'enfant. Les conséquences sont bien connues. Elles apparaissent sous forme de névroses, de difficultés d'adaptation et de délinquance juvénile.

Là où les relations entre mari et femme ne sont pas fondées sur l'amour et sur une sincère estime réciproque, le mariage devient une simple farce et une tromperie. Il est absurde de se marier sans être sûr de l'existence d'un véritable amour réciproque. Dieu unit ceux qui s'aiment. Leur coeur est la maison de Dieu qui est l'amour. L'amour voulu par Dieu est la condition préalable à tout vrai mariage.

Tout dépend de l'idée que vous vous faites de vous-même

Le sentiment d'insuffisance et d'échec est dégradant. Il provient toujours du manque d'assurance intérieure et de la peur, qui est contagieuse. La peur d'un mari se transmet à sa femme. En général, cela se passe à leur insu. Mais la femme réagit en conséquence. Elle ne reconnaît plus en son mari celui qu'elle avait connu auparavant. L'explication réside dans le changement qui s'est produit au niveau de sa vie affective. Une femme ne peut jamais voir son mari que comme il se voit lui-même. De même, un mari ne peut jamais voir sa femme que comme elle se voit elle-même.

Si un homme se sent sûr de lui et digne, il inspire le respect et l'obtient. Si un homme vit en pleine conscience de son bonheur et de son succès, il exerce de ce fait une influence déterminante sur sa famille. Il assure la cohésion entre tous les membres de sa famille, et par conséquent la paix et l'harmonie dans le cercle familial.

Par le truchement de vos convictions dominantes, vous imprimez à votre vie le sceau de votre personnalité. Et votre entourage voit en vous la personne que vous croyez être.

Que faites-vous pour votre bonheur conjugal?

Si vous êtes marié, c'est que votre partenaire avait certaines qualités et certaines vertus qui suscitaient tout particulièrement votre estime et votre admiration.

Ne perdez pas de vue ces qualités. Mettez-les en valeur, enthousiasmez-vous pour ces avantages et identifiez-vous à eux. Vous ne voulez certainement pas servir de balayeur aux insuffisances de votre partenaire? Qui est marié est appelé à des tâches plus nobles. Faites une sorte de bilan des avantages de votre partenaire et concentrez sur eux votre attention et votre admiration. Vous apprécierez alors de plus en plus votre mari — ou votre femme — pour le plus grand bien de votre ménage, qui connaîtra un bonheur croissant au fil des années.

La Bible a raison

Ce que Dieu a uni, l'homme ne doit point le séparer (Matthieu 19:6). Un mariage vrai ne peut se passer d'un rapport spirituel entre les conjoints. Il doit être conclu du fond du coeur. Lorsqu'un couple se lie dans l'amour pour se marier de manière noble et sincère, Dieu bénit l'alliance; le mariage est alors effectivement conclu au ciel et sera harmonieux. Chacun sait et ressent quand il aime. L'amour vient du coeur. Le coeur est la maison de Dieu. Et Dieu est l'amour.

Tous les mariages ne sont pas des mariages d'amour. Il arrive assez souvent que des motivations extérieures jouent un rôle déterminant. Si un homme épouse une femme à cause de son argent, de sa position dans la société, ou pour d'autres motifs égoïstes, pour satisfaire son ambition par exemple, ceci est et reste une erreur et un mensonge. Il en est de même quand une femme se marie pour assurer sa sécurité, ou à cause de la fortune ou de la situation professionnelle ou sociale de l'homme qu'elle épouse, ou encore par simple goût de l'aventure. Un mariage conclu pour des motifs de ce genre ne vient pas du coeur, ni par conséquent de Dieu — de Dieu qui est la vérité et l'amour. De l'amour seulement émanent la sincérité, la fidélité, et le respect mutuel, sans lequels un mariage ne peut être ni harmonieux, ni heureux.

Pour un couple uni dans un mariage vrai — formant une unité de coeur, d'âme et de corps —, il ne peut être question de divorce, car les deux partenaires sont un d'esprit et d'âme, unis dans l'amour. *Ce que Dieu a uni, l'homme ne doit point le séparer.*

Prière conjugale pour mari et femme

«Nous sommes unis dans la présence divine. Il n'y a qu'un Dieu, une vie, une loi, un esprit, un père — notre père. Nous sommes unis par l'amour; l'entente et l'harmonie sont en nous. Je me réjouis du bonheur et de la paix de mon conjoint. Dieu nous guide à chaque instant. Nous nous parlons du fond du coeur, où réside Dieu. Nos paroles sont pour nous comme du miel — douces et réconfortantes. Nous rivalisons de bonnes qualités, nous nous enthousiasmons pour elles, nous nous identifions à elles.

«L'amour de Dieu nous traverse et se déverse sur notre famille et sur tous les hommes de ce monde. Nous croyons et savons que nous participons à la force et à la sagesse omniprésentes de l'Un infini, nous sommes sains et intacts de corps, d'esprit et d'âme. Le divin se réalise dans chaque cellule de notre corps et dans chaque fonction du corps et de l 'âme. Il nous apporte santé, paix et harmonie.

«Nous croyons que tous, dans notre cercle familial, sommes guidés par le divin. Dieu, qui sait toujours la solution, nous guide vers les sommets de la paix et de la joie.

«Les paroles que nous prononçons maintenant nous apporteront succès et bonheur. Nous nous en félicitons et sommes pleins de reconnaissance, car nous savons que notre prière, qui exprime notre foi, sera exaucée.»

RÉSUMÉ

1. Le mariage est la plus bienfaisante des formes terrestres de communauté. Il ne devrait être conclu qu'avec un profond respect et la conscience de son caractère sacré.

2. Si une femme vit dans la crainte constante de perdre son mari, cette crainte peut se transmettre à celui-ci à leur insu et causer beaucoup de chagrin et de soucis.

3. Défaites-vous du passé. Seuls comptent le présent et l'avenir. Changez votre manière de penser, votre vie s'en trouvera changée. L'ignorance vous maintient dans les griffes de la peur, et des idées déformées par la peur sont source de souffrances.

4. Assimilez intellectuellement et affectivement la vérité du psaume 23; vous parviendrez ainsi à dissiper toute crainte anormale.

5. Opposez à toutes les tentations de la solitude et du désespoir votre confiance en la sagesse qui réside dans votre inconscient.

6. L'attitude affective qui prédomine dans l'inconscient détermine d'une manière décisive quelles personnes s'attirent mutuellement. Les personnes déçues devraient se pardonner à elles-mêmes et pardonner à leurs semblables, puis prier pour trouver le partenaire idéal. On peut se suggérer les qualités et avantages que l'on voudrait admirer chez le partenaire, et de cette manière devenir intérieurement constructif.

7. Vous rencontrerez le partenaire idéal si vous priez sincèrement et vivez dans la conviction que votre subconscient réalisera votre souhait.

8. Ne faites pas irruption dans un ménage. Essayez de savoir ce que vous voulez; soyez sûr d'obtenir ce que vous désirez; vous atteindrez votre but.

9. L'amour fait du couple qui s'aime une unité. Si vous aimez sincèrement votre mari ou votre femme, vous êtes armé contre toute infidélité.

10. Une jeune fille célibataire qui amorce une liaison avec un homme marié sans jamais pouvoir espérer le mariage agit à l'encontre de ses véritables aspirations. Elle désire un mari, un foyer, être aimée et appréciée. Une jeune fille dans une telle situation doit tout d'abord renoncer à l'homme marié afin de pouvoir attirer l'homme qu'elle cherche vraiment.

11. Les raports entre bien des époux n'ont plus rien à voir avec l'amour, l'amitié, la compréhension, la bonne volonté, la concorde et l'harmonie. Un tel mariage est une farce, un mensonge. La séparation vaut mieux qu'une vie dans le mensonge.

12. Un homme souffrant de complexes d'infériorité basés sur la crainte et le manque d'assurance se dégrade lui-même. Dans la plupart des cas, sa femme réagira en conséquence.

13. Ne perdez pas de vue les qualités de votre conjoint. Enthousiasmez-vous pour ses avantages et identifiez-vous à eux. Votre mariage connaîtra ainsi un bonheur croissant au fil des années.

14. Ce que Dieu a uni, l'homme ne doit point le séparer (Matthieu 19:6). Dieu est l'amour. Aussi, quand l'amour unit deux coeurs, il ne peut y avoir de divorce. L'amour en Dieu unit mari et femme pour toujours.

CHAPITRE 12

La loi glorieuse de la paix intérieure

Le souci se propage comme une épidémie. Il constitue un problème grave. De nombreux congrès médicaux, dans le monde entier, se consacrent à l'étude de ce problème. Effectivement, des millions de personnes, sur cette terre, sont malades — littéralement malades — parce qu'elles sont préoccupées.

Les gens qui se créent constamment des soucis envisagent toujours une catastrophe, un échec, une mauvaise issue à une affaire en cours. Ils se font du souci à cause d'une foule de choses qui n'arrivent jamais, et ruminent sur des problèmes illusoires. Ces malheureux vous fourniront mille et une raisons de s'attendre à quelque malheur, et pas un seul argument ne leur viendra à l'esprit en faveur d'une issue favorable. Une vie de constante inquiétude affaiblit l'individu tout entier. Troubles physiques et mentaux en sont les conséquences inévitables. Une telle attitude repose en premier lieu sur une confiance insuffisante en Dieu.

Il se faisait des soucis sans raison

Un homme que je connais bien me fit un jour cette confidence: «Il s'agit de ma pharmacie. Les soucis vont finir par me rendre malade. Peut-être devrais-je tout laisser tomber. Les affaires vont bien, mais cela ne pourra pas durer éternellement. Je finirai par tout perdre. C'est affreux de penser qu'un jour, je pourrais faire faillite. Je n'ai plus une minute de tranquillité et je ne peux plus dormir la nuit.»

Pour pouvoir lui donner des conseils, il me fallait naturellement être au courant de ses difficultés; aussi lui demandai-je des renseignements détaillés.

«Non, non, m'assura-t-il, jusqu'ici tout va bien. Il n'est rien arrivé encore, mais je sens que quelque chose va arriver. Je me tue à force de soucis, et pour comble de malheur, je suscite l'opposition de ma femme. Comment me débarrasser de ces soucis?»

Cet homme était propriétaire d'une pharmacie prospère. Il avait un compte en banque considérable. Des revenus de son affaire, il pouvait vivre non seulement passablement, mais très bien. Rien non plus ne permettait d'envisager une récession de ses affaires, bien au contraire.

Seule sa façon de penser négative, dont il avait pris l'habitude, faisait de lui un pessimiste chronique. Or, cette attitude lui faisait perdre toute vitalité et toute énergie. Chose pire encore: si cela continuait, il s'affaiblirait bel et bien et serait finalement incapable de venir à bout des difficultés éventuelles.

Je lui conseillai vivement de se débarrasser de ces soucis injustifiés. S'il persistait ainsi, lui dis-je, il ne manquerait pas de s'attirer à la longue ces préjudices sur lesquels toute sa pensée se concentrait. La seule chose qui allait mal était sa pensée, car elle n'était orientée que vers l'insuccès et la ruine. Je lui demandai s'il avait complètement oublié que la pensée et, par conséquent, la vie de chaque être humain peuvent être dirigées, et je lui conseillai de prier.

Il pria. Le matin, l'après-midi et le soir, il consacra un quart d'heure à la prière dont voici le texte:

«Je mets toute ma confiance en Dieu. Il est mon associé tacite et veille à la bonne marche de mes affaires. J'ai la conviction que tous mes collaborateurs s'emploient à faire prospérer mon affaire, garantissant ainsi en quelque sorte l'existence et la prospérité de ma pharmacie. Je le crois, je le sais, et je me félicite du succès. Je résous mes problèmes en me confiant à la sagesse infinie qui réside dans mon subconscient; elle mettra toujours une solution à ma disposition. Je me sens en sécurité, en paix. Je suis entouré d'amour et d'harmonie. Mes rapports avec mes associés sont placés sous la loi de l'harmonie. La force intérieure qui me guide me montre comment servir l'humanité. Face à mes partenaires et à mes clients, je suis conscient que Dieu réside en eux, et je travaille avec eux et avec tous mes collaborateurs à faire triompher le bonheur, la prospérité et la paix. Si les soucis m'assaillent, je leur oppose la prière: *Passerais-je un ravin de ténèbres, je ne crains aucun mal; près de moi ton bâton, ta houlette* (Ps. 23:4).

Grâce au pouvoir de la prière, le pharmacien en question revint à une manière de penser constructive. Combien la vérité de la parole biblique précitée lui a rendu service, la réflexion suivante faite devant moi permet de le mesurer: «Il y avait des jours où je ne pouvais combattre mes soucis autrement qu'en me répétant une centaine de fois: Dieu est avec moi.»

En peu de temps, il s'affranchit de sa névrose — c'est toujours de cela qu'il s'agit quand quelqu'un se fait des soucis sans fondement. Il réussit à acquérir une nouvelle liberté, reposant en Dieu, et par conséquent une joie de vivre sans mélange.

Elle guérit de sa névrose d'angoisse

«Mon mari reste assis sans rien faire toute la journée, paresse et boit de la bière. Il n'a pas envie de travailler et se plaint constamment de mille choses. Il me cause des soucis effroyables. Mon médecin m'a dit que je souffre d'une névrose d'angoisse. Il faut ajouter que j'ai de l'asthme et une tension artérielle élevée. Je suis aussi sans cesse tourmentée par des dermatoses. Mon mari finira par m'enterrer.»

Je me hâtai de répondre à la lettre de cette femme. Je lui fis remarquer qu'à l'heure actuelle, de nombreux médecins et psychologues admettent déjà l'existence d'effets physiques aux facteurs psychiques, et attribuent au chagrin chronique entre autres certaines dermatoses et allergies, l'asthme, les affections cardiaques et le diabète. Mais le chagrin chronique n'était qu'un synonyme de la névrose d'angoisse diagnostiquée par le médecin. Je lui demandai de changer d'attitude à l'égard de son mari en priant quotidiennement, et de recourir à cette fin au texte ci-dessous:

«Dieu est avec mon mari et le rend actif, brillant, heureux, gai et en paix avec lui-même. Il a maintenant trouvé la place qui lui convient et peut s'y épanouir. Il a un très bon revenu. Il ne boit plus. L'intégrité et la paix intérieure déterminent sa vie. Je le vois rentrer tous les soirs heureux et je l'écoute parler avec enthousiasme de son nouvel emploi. Je confie à Dieu la réalisation de ce que j'imagine.»

En outre, cette femme devait s'imprégner chaque jour six ou sept fois des mots suivants et les faire assimiler par son subconscient; enfin, elle devait imaginer aussi souvent que possible son médecin lui disant qu'elle était guérie et en bonne santé.

«Dieu m'a comblée de ses dons. C'est pourquoi je veux glorifier Dieu chaque instant de ce jour. L'harmonie et la paix divines sont en moi. Je ne crains rien, car Dieu est avec moi. Je suis entourée pour toujours de son amour et de sa protection. Je suis convaincue et ressens la vérité de ma conviction, je crois résolument et sais que Dieu dans son amour et sa sollicitude infinie guérit, dirige et protège tous les membres de ma famille qui me sont chers.

«Je pardonne et vis en paix avec tous les êtres humains, je suis pleine de bonne volonté et d'amour pour tous mes semblables. Au plus profond de moi règne la paix, la paix de Dieu. Mon âme est paisible, je sens la force et l'amour de Dieu omniprésent qui me guide et m'accompagne. Je suis l'outil de Dieu: de son amour, de sa vérité et de sa magnificence. Sa paix emplit mon âme. Je sais que tous mes problèmes et toutes mes détresses trouveront leur solution dans l'esprit divin. Je me trouve sur la voie de Dieu. Ce que je viens de dire se réalisera. Je remercie, pleine de joie et de tout mon coeur, pour l'exaucement de mes prières.»

La réponse de cette femme ne se fit guère attendre. «La prière a fait son effet, m'écrivit-elle, mon mari a trouvé un travail bien rémunéré. Il a cessé de boire. Ma tension artérielle est redevenue normale. Le médecin m'a dit que je n'ai plus besoin de médicaments contre l'asthme. Ma peau elle aussi est redevenue normale.»

Le chagrin chronique — ou la névrose d'angoisse — de cette femme dépendait moins du comportement de son mari que de sa propre pensée négative. Dès qu'elle eut réussi à réorienter sa pensée et son imagination, tout s'arrangea pour elle et pour son mari.

Le chagrin peut causer le diabète

Avec l'aimable autorisation de la Columbia University Press de New York, je publie ci-dessous un extrait de l'ouvrage publié par le docteur Flanders Dunbar sous le titre *Emotions and Bodily Changes*. L'auteur y commente le rapport existant entre le chagrin et le diabète.

«W.C. Menninger publia en 1935 deux articles consacrés à l'étude des facteurs psychologiques du diabète. Il constata que seuls quelques spécialistes avaient tenu compte des facteurs psychiques de sa genèse et leur avaient attribué de l'importance. Néanmoins, ils ont retenu que:

1. le diabète «peut éventuellement être causé par la peur» — hypothèse déjà formulée en 1891 par deux psychiatres, Maudsley et Savage;

2. le choc psychique doit être considéré comme «un agent pathogène»;

3. «le chagrin, l'angoisse et la tension nerveuse figurent parmi les caractéristiques les plus fréquentes de l'anamnèse des diabétiques» (selon F. M. Allen, spécialiste des maladies internes);

4. qu'il existe une «coïncidence remarquable» entre un choc émotionnel et l'apparition du diabète.

«Menninger dit que la plupart des cas, de l'avis des spécialistes des maladies internes, ne relèvent apparemment pas de la psychopathologie. Par contre, Menninger se réfère à l'opinion unanime des auteurs cités, selon laquelle des facteurs émotionnels peuvent accélérer ou aggraver la maladie, et remarque à ce sujet: «On est vraiment impressionné par la contradiction interne des opinions, dans la mesure où, d'une part, on ne conteste pas l'importance des facteurs psychogènes pour l'évolution de la maladie, tout en défendant, d'autre part, l'opinion conservatrice selon laquelle il n'y aurait pas lieu d'attribuer une importance égale à des facteurs psychogènes analogues dans la genèse du diabète.» L'étude de Menninger porte sur trente cas. L'examen de ces cas a prouvé que les états d'angoisse et les dépressions sont littéralement concomitants avec le diabète. La prédominance d'un type particulier de troubles psychiques et mentaux n'a pu être constatée sur les cas de diabète ainsi étudiés, à l'exception d'une fréquence remarquable des psychonévroses les plus diverses. Chez douze des vingt-deux malades auxquels il a consacré son premier rapport, il a pu constater des hallucinations paranoïaques comme symptôme principal. Chez cinq de ces vingt-deux patients, Menninger a tenu comme clairement établi que le diabète pouvait être la conséquence de troubles psychiques. Il a toutefois souligné la nécessité d'étudier toute la diversité des facteurs pathogènes pour expliquer les causes du diabète. Mais il conclut en disant qu'il ne peut guère y avoir de doute sur le fait que le diabète est l'expression partielle du conflit de la personnalité dans son ensemble; aussi lui parut-il justifié de parler d'une «réaction diabétique de la personnalité».

D'autres cas de diabète sont décrits par Dunbar dans *Psycho-somatic Diagnosis* (1943) et *Synopsis of Psychosomatic Diagnosis and Treatment* (1948).

Il se trompait sur la cause de ses préoccupations

Un manager de l'économie, connu généralement comme un homme très sûr de lui, vint me trouver un jour et me dit qu'il avait de graves soucis, parce qu'il craignait, à la prochaine réunion du conseil de surveillance de sa société, de ne pas être élu au poste de président du comité directeur et de directeur général, alors que son expérience, ses fonctions et son rang faisaient de lui le candidat idéal. Il vivait donc dans une inquiétude constante et se sentait proche de la dépression nerveuse.

Au cours de notre entretien, il apparut qu'il s'était fait beaucoup de soucis pendant toute sa vie; j'en conclus qu'il pensait certes se faire des soucis à cause de sa carrière, mais qu'il se trompait sur la cause de ses soucis. En fait il ne voulait pas en discerner la véritable cause.

Je lui conseillai de s'imaginer être déjà directeur général et recevoir les félicitations de ses collaborateurs. Il appliqua cette technique. Comme il fallait s'y attendre, il se vit confier le poste de directeur général lors de la fameuse réunion du conseil de surveillance.

Un mois à peine s'était écoulé depuis lors quand il revint me voir. Il était maintenant directeur général, mais ses soucis ne l'avaient pas quitté. Cette fois, il s'agissait de sa tension artérielle. Son médecin lui avait assuré qu'elle était dangereusement élevée.

Je lui rappelai qu'il avait craint de ne pas être élu au poste de directeur général, qui pourtant lui revenait. Je lui demandai pourquoi il s'inquiétait encore puisqu'il avait obtenu ce qu'il désirait.

Il m'expliqua sa situation. Que se passerait-il s'il ne parvenait pas à répondre aux attentes fondées sur lui? Si, du fait de ses décisions, la société ne continuait pas à travailler avec profit? S'il était relevé de ses fonctions? Et ainsi de suite.

À force de se faire des soucis à cause de sa carrière, cet homme n'avait plus guère trouvé le temps de penser à autre chose. Il se mit désormais à réfléchir. Il se rendit compte qu'il avait cessé de prier chaque jour et négligé son rapport intérieur avec Dieu — qui seul aurait pu lui donner confiance et force. Soudain, il reconnut que c'était là la cause profonde de ses soucis perpétuels. Il ne consentit pas à se laisser tourmenter davantage et prit nettement conscience du fait qu'il avait lui-même cultivé ses soucis. Il prit la décision de surmonter par la prière les idées fixes dont il s'était rendu victime. En voici le texte:

«Je le sais: la résolution de mon problème dépend de moi; elle est en moi, car Dieu est en moi. Je suis maintenant calme, détendu, décontracté. Je me trouve en paix. Je sais que la confusion ne vient jamais de Dieu. Je suis maintenant en harmonie avec l'infini. Je crois et je sais que la sagesse infinie me révélera la solution juste. Je réfléchis à mon conflit. Je réfléchis à la solution. Mais je vis maintenant dans la joie, comme si mes problèmes étaient déjà résolus. Je vis véritablement dans cette confiance qui ne me quitte plus. C'est l'appel de Dieu en moi, de Dieu qui est tout-puissant et se révèle par lui-même. Mon être entier se réjouit de la solution, je suis heureux. Je vis dans ce sentiment, et j'en suis reconnaissant. Dieu sait déjà la réponse. Avec Dieu tout est possible. Dieu tout-puissant est l'esprit qui vit en moi et la source de toute sagesse et de toute illumination.

«Le signe de la présence de Dieu en moi est mon sentiment de paix et d'équilibre. Je ne connais maintenant ni tension, ni effort, je fais confiance à la puissance et à la magnificence de Dieu. Je sais qu'en moi résident la force et la sagesse dont j'ai besoin pour mener une vie heureuse. Je suis complètement détendu physiquement et décontracté intellectuellement, je suis libre. Je crois à la sagesse de Dieu et je sens mon esprit empli de sa paix, je le sens jusqu'au plus profond de mon coeur et de tout mon être.

«Je sais que tous les problèmes peuvent être résolus quand l'esprit est calme. Je confie mon problème à Dieu, car il sait la réponse. Je suis en paix.»

Il dit cette prière plusieurs fois tous les matins, conscient que sa teneur s'imprimerait sur son subconscient et se réaliserait d'elle-même dans le sens d'une guérison. Son sentiment d'être uni à Dieu lui donna une confiance toute nouvelle. Grâce à ce changement d'attitude, il parvint à résoudre ses problèmes sans se laisser miner par les soucis, et devint un homme bien équilibré sur le plan psychique.

Comment elle aida son fils et s'aida elle-même

Chaque mère, de temps à autre, se fait des soucis à cause de son enfant. Néanmoins, ce que la mère d'un garçon d'âge scolaire me confia n'avait plus rien de commun avec cette sollicitude maternelle. Elle s'inquiétait du simple fait que son fils était à l'école: il pouvait y attraper la rougeole, tomber dans la piscine ou être écrasé par une auto dans la rue. Elle se grisait littéralement de mauvais pressentiments et s'enlisait dans son affliction. «Je ne peux faire autrement que de m'inquiéter, m'assura-t-elle, je n'aurai jamais la paix.»

Cette femme ne suggérait à son garçon que dangers et malheurs. Or, il eût sans nul doute été plus productif, et aussi plus fascinant et plus beau pour elle de souhaiter chaque jour à son enfant les plus belles choses du monde, et de lui donner à son départ la bénédiction maternelle. Je le dis à cette femme et lui demandai d'adopter une attitude positive fondée sur la confiance en Dieu. Elle devait reconnaître que Dieu aimait et protégeait son enfant.

Elle prit mon conseil à coeur: non seulement pour le plus grand bien de son petit garçon, mais aussi pour son propre bien. Elle prit l'habitude de prier — prier est une habitude —, et se délivra ainsi de son chagrin et de tous ses soucis. Ceux-ci n'avaient pu se nicher dans son esprit que parce que — mal informée et paresseuse d'esprit jusqu'à l'indifférence — elle s'abandonnait sans la moindre résistance à tous ses accès de crainte et à toutes les scènes effroyables de son imagination. Ainsi avait-elle livré au négatif sa vie intellectuelle et affective.

Comme cette femme, vous pouvez vous aussi vous libérer du chagrin et des soucis incessants. Il vous suffit de placer votre confiance en Dieu et de prier régulièrement, comme il est dit dans la Bible: *Je lève les yeux vers les monts: d'où viendra mon secours? Le secours me vient de Yahwé qui a fait ciel et terre* (Ps. 121:1-2).

Ne faites pas ce que vous ne désirez pas faire

Quand vous vous faites des soucis, vous concentrez votre attention sur un objectif qui ne peut guère être votre objectif véritable. Vous vous voyez déjà arrivé là où justement vous ne voulez pas en venir. Néanmoins, vous vous concentrez en pensée là-dessus, vous frayant ainsi la voie vers la réalisation de ce que vous désiriez éviter. De la sorte, vous créez vous-même les conditions d'une vie d'affliction et de soucis sans fin. Se faire du souci, c'est, au fond, mettre en oeuvre ses forces intellectuelles de la manière la plus négative et la plus destructrice qui soit. Vous ne voulez pas, donc ne le faites pas.

Le chagrin attaque les glandes et les organes de votre corps

Le Dr Hans Selye, de l'institut de médecine expérimentale et de chirurgie de l'Université de Montréal, a fait des études approfondies sur les effets de la peur et des soucis, qui diminuent les moyens de défense du corps. Avec l'aimable autorisation de l'éditeur, je cite ci-dessous son point de vue, exprimé dans l'ouvrage du Dr Rolf Alexander, *The Mind in Healing*, publié en 1960 chez E.P. Dutton & Co., de New York.

«Quand la tension intellectuelle, qui met en mouvement le système général de défense du corps, n'est pas seulement de nature passagère, mais dure pendant des semaines, les glandes des capsules surrénales essaient d'abord de s'adapter à cette situation en augmentant leur sécrétion d'hormones; mais cela a une influence catastrophique sur divers autres processus qui, pour leur part, ne servent pas à la défense. Le sujet fait peut-être une arthrite ou du diabète ou quelque autre maladie dite psychosomatique. Si le stress se poursuit au-delà de la phase d'adaptation générale, il en résulte inévitablement un épuisement des capsules surrénales. Elles passent du jaune au noir. Des ulcères se forment dans l'estomac. La résistance au froid et à la chaleur comme à toute sorte de maladie ou de blessure s'effondre. Et si le malheureux sujet ne devient pas la victime d'une infection, il succombera vraisemblablement à des troubles cardiaques, circulatoires ou rénaux. Ces maladies comptent aujourd'hui parmi les plus meurtrières de celles qui nous menacent.»

Le Dr Selye a démontré que le système défensif du corps ne résiste pas à des épreuves prolongées et ne peut lutter efficacement que sur un front à la fois. Si, par exemple, ce système défensif est mis en marche pour réagir à la tension résultant de douleurs causées par une fracture compliquée du tibia, il mobilise — outre son activité normale — de nombreuses activités spécifiques en vue de guérir la fracture. Mais si à cette «réparation» du corps vient s'ajouter un autre stress — déclenché par exemple par la peur —, nous succombons aisément à notre blessure physique ou, inversement, au choc résultant du stress supplémentaire. À moins que l'affaire ne se termine tout simplement par une amputation de la jambe qui ne veut plus guérir. S'il s'agit non de fractures, mais de maladies plus subtiles, la possibilité d'une guérison se trouve diminuée, et les maladies de ce genre deviennent chroniques.

Tirez-en vous-même la conclusion, elle est fort simple: si le système général de défense du corps est mobilisé par des tensions d'origine non organique, votre potentiel de résistance à des tensions supplémentaires, qui peuvent avoir pour cause un refroidissement, une grippe ou une pneumonie, est fortement réduit.

Vous pouvez surmonter tous les chagrins

Ne perdez pas votre temps à réfléchir à vos soucis et à vos difficultés. Évitez la pensée négative. Sous la pression résultant d'une tension permanente, vos facultés psychiques et mentales ne peuvent fonctionner de manière harmonieuse. Si vous êtes nerveux parce que confronté à un problème apparemment insoluble ou non moins difficile à résoudre à l'issue d'une réflexion approfondie, vous n'avez rien de mieux à faire que de vous tourner vers quelque chose d'agréable ou de réjouissant. Cela vous détend et vous rend plus réceptif à la solution de votre problème. Vous ne devez pas combattre votre problème — et éventuellement échouer dans ce combat —, mais le surmonter. Et de cela, vous êtes capable.

Qui veut se soustraire à la nervosité ou se libérer d'une pression psychique devrait faire une promenade ou se distraire en jouant aux cartes. Certains encore, dans de pareilles circonstances, jouent du piano, font du jardinage ou vont à la pêche. Il y a d'innombrables possibilités de distraction et de détente, pour tous les goûts.

À ce propos, je vous recommande vivement d'acquérir la paix intérieure et une nouvelle confiance en lisant la Bible. Choisissez les passages que vous préférez. Ou lisez, par exemple, le onzième chapitre de l'épître aux Hébreux, le treizième chapitre de la première épître au Corinthiens ou le psaume 46. Lisez ces passages de la Bible sans hâte, éventuellement à plusieurs reprises. Vous ressentirez un merveilleux calme intérieur, qui vous apportera un sentiment d'équilibre et de paix profonde.

Les étapes pour surmonter les soucis

Première étape: Dès le réveil, tournez-vous vers Dieu dans la prière en vous rappelant qu'il est votre père et qu'il vous aime. Détendez votre corps. Dialoguez avec Dieu, qui est votre moi supérieur. Faites entièrement confiance à Dieu qui est présent, et soyez conscient d'être sur le chemin de la guérison.

Deuxième étape: Dites du fond du coeur les mots suivants: «Je te remercie, Père, de cette merveilleuse journée. C'est une journée divine, pleine de joie et de paix, de bonheur et de succès. J'attends cette journée avec joie. La sagesse et l'inspiration de Dieu vont me guider pendant toute la journée. C'est une journée d'action joyeuse et d'heureux succès. Je crois que Dieu me guide, et son amour emplit mon âme.»

Troisième étape: Dites-vous avec une profonde conviction: «J'ai confiance en la bonté de Dieu. Je sais qu'il me protège à tout moment. Je suis bien équilibré, calme, serein. Tout ce que je fais est fait selon la volonté de Dieu et placé sous sa loi.»

Faites de ces trois étapes une habitude. Si des soucis vous assaillent, étouffez-les par une méditation selon la technique de ces trois étapes vers le recueillement intérieur. Votre prière vous rendra la paix.

RÉSUMÉ

1. Les gens qui se créent des soucis ruminent parfois sur une foule de choses qui n'arriveront jamais, se privant ainsi de leur vitalité et de leur énergie.

2. Qui a des soucis redoute des choses qui ne sont pas encore arrivées, mais qui pourraient arriver. Changez votre façon de penser actuelle, vous changerez alors votre avenir. Votre avenir est la concrétisation de ce que vous avez pensé auparavant.

3. Si vous persistez dans votre habitude de vous faire des soucis, vous vous exposez au danger d'attirer sur vous ce dont vous avez peur.

4. Si des pensées négatives vous assaillent, dissipez-les en faisant appel à la parole décisive de la Bible: *Dieu est avec moi.*

5. Si votre mari ou toute autre personne vous cause des soucis, représentez-vous celui-ci tel que vous désirez qu'il soit. La contemplation répétée de cette vision intérieure fera des miracles.

6. Qui se fait des soucis de manière chronique trouve toujours une justification à ses inquiétudes. Mais la véritable cause n'est pas telle ou telle difficultés, les soucis proviennent d'un sentiment profondément enraciné d'insécurité — d'un manque de confiance en Dieu.

7. Les pessimistes chroniques sont soumis constamment à une pression. Les tensions causées par le chagrin et la peur réduisent le potentiel de résistance physique et accroissent la réceptivité à certaines maladies.

8. Vous n'avez aucune raison de vous inquiéter du simple fait que votre enfant se trouve hors de votre surveillance directe. Vous devriez au contraire vous en remettre à Dieu qui aime et protège votre enfant.

9. En vous faisant des soucis, vous vous concentrez précisément sur ce que vous ne voulez pas.

10. Unissez-vous spirituellement à la toute-puissance et à la magnificence de Dieu. Que la confiance en Dieu soit la base de votre pensée et de votre imagination. La lumière de Dieu dissipe les ténèbres de vos soucis et de vos peines, de votre angoisse et de votre désespoir.

CHAPITRE 13

La loi bienheureuse de la prospérité

Dans leur recherche du bonheur et de la satisfaction de leurs désirs, les hommes ne cessent de se poser les mêmes questions. Comment puis-je avancer dans la vie? Comment puis-je améliorer ma situation, gagner davantage, acheter une maison, un appartement, une nouvelle auto? Comment puis-je me procurer tout cet argent dont j'ai absolument besoin pour satisfaire mes désirs?

Une seule réponse à ce genre de question: tout dépend de l'individu. Toutefois, il faut connaître les grandes lois de l'esprit et savoir tirer parti des ressources spirituelles qui résident en chacun de nous. La loi de causalité ainsi que celles de la croissance et de l'attraction dominent la vie spirituelle de l'homme. Elles sont aussi rigoureuses que, par exemple, les lois de la chimie ou de la physique, auxquelles est soumise la vie organique et inorganique. Elles sont aussi peu douteuses que la loi de la pesentaur. La loi de la prospérité terrestre a trouvé sa plus belle impression dans la Bible: *... se plaît dans la loi de Yahwé, ... murmure sa loi jour et nuit* (Ps. 1:2).

Pour parvenir au bonheur et à l'aisance, il faut tout d'abord accroître notre capacité de travail, c'est-à-dire nos facultés et capacités intellectuelles. Seul leur complet développement nous permet de mettre judicieusement en oeuvre nos forces intérieures. Le succès auquel vous aspirez trouvera sa concrétisation dans votre vie à condition d'être intégré à votre subconscient.

La recette d'un agent de change

Parmi mes bonnes connaissances figure un agent de change. Il vit à Los Angeles. Il a une vaste clientèle et il est réputé pour avoir la main heureuse dans le placement des valeurs qui lui sont confiées.

Cet homme attribue lui-même son succès à des entretiens se déroulant uniquement dans son imagination. Son interlocuteur est un banquier multimillionnaire. Il s'imagine que ce banquier le félicite de son discernement et de sa clairvoyance et lui témoigne son admiration par l'exactitude de ses décisions en Bourse. Il s'entretient avec son ami imaginaire chaque matin en se rendant à son bureau, et imprime ainsi cette représentation à son inconscient.

Les entretiens imaginaires de cet agent de change sont conformes à son objectif, qui est de placer les valeurs de ses clients et ses propres ressources avec le maximum de sécurité et de rentabilité. Il m'a assuré que sa plus grande satisfaction était d'enrichir ses clients grâce à ses décisions. Et comme il réussit à faire gagner de l'argent aux autres, il en gagne aussi lui-même, plus qu'il n'avait jamais osé l'espérer.

Il est évident que cet homme met en oeuvre de manière positive ses forces intellectuelles, et que son existence d'agent de change lui procure, conformément à la volonté de Dieu, joie et satisfaction.

Il suivit l'inspiration de son inconscient

«Je vais tout perdre: ma maison, ma propriété foncière, ma fortune, tout jusqu'au dernier centime. Je ne peux plus payer ma banque, elle va me réclamer le remboursement de mon hypothèque et vendre aux enchères tout ce que je possède.»

Cet homme était complètement désespéré. Je lui dis qu'il trouverait l'argent dont il avait beosoin s'il parvenait à influencer son subconscient dans ce sens. Il ne devait pas chercher à savoir — ajoutai-je — comment, quand et où il découvrirait les ressources nécessaires. Son inconscient connaissait des issues dépassant notre entendement.

Il commença à s'imaginer qu'il déposait à la banque — en espèces — la somme exigible. Il se vit en pensée la verser au guichet de la banque et entendit l'employé lui dire: «Tout est payé. Je suis content que vous ayez réussi à vous procurer l'argent.» Il s'imprégnait de cette scène imaginaire surtout avant de s'endormir, et la vivait intérieurement comme une réalité subjective. Et plus cette expérience intérieure se fortifiait, plus elle s'imprimait avec efficacité dans son inconscient. Son expérience intérieure était si authentique que sa réalisation objective s'imposait littéralement.

Ce qui se passa par la suite était vraiment inattendu. Cet homme fit un rêve pendant la nuit. Sur un champ de courses qu'il connaissait, il vit arriver vainqueur un cheval sur lequel il avait misé. Le cheval, un outsider joué à 50 contre 1, lui rapporta une petite fortune. Il entendit l'homme qui lui versait son gain lui dire: «Dix mille dollars — vous avez bien de la chance!»

Il raconta ce rêve à sa femme. Celle-ci lui dit qu'elle avait, cinq ans plus tôt, caché deux billets de cent dollars dans un vieux pot à thé. Elle pouvait, lui dit-elle, les prendre et miser sur son cheval. C'était leur dernière ressource.

Son cheval gagna, et il put verser dix mille dollars pour rembourser son hypothèque à la banque. Son rêve s'était réalisé jusque dans les moindres détails. Ainsi, au guichet, l'employé lui dit exactement ce qu'il avait entendu dans son rêve.

Le miracle de la croissance

Je voudrais rapporter ici le cas d'une femme au chômage et mère de trois enfants. Elle n'avait plus ni argent ni crédit. Elle était dépourvue, pour elle-même et pour ses enfants, des choses les plus indispensables à la vie. Une petite aide transitoire put lui être procurée.

Dans le même temps, mon assistance lui fit reprendre courage. Plusieurs fois par jour, elle se détendit et, assise dans un fauteuil confortable, se laissa glisser dans un demi-sommeil, avec ces mots sur les lèvres: «Dieu me donne plus qu'il me faut.»

Pour cette femme simple, cette petite phrase résumait tout: sa confiance en Dieu, mais aussi la confiance de voir ses désirs se réaliser. Elle ne souhaitait rien plus ardemment qu'un nouvel emploi, de la nourriture et des vêtements pour ses enfants, de l'argent pour subvenir à une foule de besoins, ainsi qu'un homme qui serait à la fois son compagnon et le père de ses enfants. Quand elle priait, elle essayait de ne se laisser distraire par rien et de concentrer son attention sur la signification de ses paroles et du contenu de sa prière. Elle ne cessait de se répéter: «Dieu me donne plus qu'il me faut.»

Elle ne pria pas en vain. Elle reçut à l'improviste une visite de Nouvelle-Zélande: c'était son frère, qui n'avait pas donné signe de vie depuis vingt ans, mais était devenu riche. Il lui fit cadeau de

15 000 dollars et de plusieurs diamants d'un grand prix. En outre, il lui trouva une place de secrétaire chez un notaire dont elle devint la femme — «la femme la plus heureuse de cette terre», m'assura-t-elle.

La concentration de l'attention sur le contenu d'une simple prière résumée en une seule phrase constitue un recueillement intérieur qui, pour des motifs d'ordre psychologique, ne peut guère manquer son effet. Le contenu de vos suggestions s'imprime dans votre subconscient par le pouvoir de la répétition constante, d'une foi inébranlable et d'une joyeuse attente. Les possibilités de l'inconscient dépassent l'entendement humain. Ce que vous semez, vous le récolterez trente, soixante, cent fois. Voilà le miracle de la croissance.

La clé de la prospérité

On ne cessera jamais de s'étonner des prodiges de la reconnaissance. Elle est la clé de la santé, du bonheur et de la prospérité.

Un agent immobilier de mes amis en fit l'expérience de manière merveilleuse. Ses affaires se trouvaient dans l'impasse. Naturellement, il n'en était pas heureux, mais ne se laissa pas pour autant ébranler dans sa confiance en Dieu. Sa prière du soir en témoignait: *Père, je te rends grâces de m'avoir exaucé. Je savais bien que tu m'exauces toujours* (Jean 11:41-42). Les paroles de l'Évangile se résumaient ainsi sur les lèvres de cet homme sur le point de s'endormir: «Je te rends grâces.» Il s'endormait toujours sur ces mots.

Une nuit, il rêva qu'un homme lui remettait un chèque, un acompte sur le prix d'achat d'un grand terrain regroupant quatorze parcelles qu'il désirait vivement vendre. Une semaine plus tard, l'homme qu'il avait vu en rêve entra dans son bureau et lui acheta le terrain en question.

Depuis cet événement surprenant, l'agent immobilier prit l'habitude de s'endormir chaque soir en disant: «Je te rends grâces.» C'est à cette action de grâces particulière et à son recueillement qu'il attribua l'amélioration de sa santé ainsi que la prospérité inouïe qu'il connut après avoir surmonté ses difficultés financières.

Faites comme lui. Dites-vous chaque matin et chaque soir que Dieu veille à votre bien intellectuel, physique et professionnel.

Pénétrez-vous consciemment de cette conviction et vivez dans ce sentiment. Endormez-vous chaque soir sur cette prière: «Père, je te rends grâces.» Votre remerciement anticipe toutes les réalisations dont votre confiance en Dieu vous rend capable — grâce à votre inconscient créateur.

La prospérité ne vient pas par hasard

La femme dont il est question ici disposait bien, après la mort de son mari, d'une maison, mais elle n'avait ni argent ni crédit, et avait, en même temps, un besoin urgent de diverses choses. Elle ne pouvait plus payer à sa banque les intérêts de son hypothèque. Des factures de plus en plus nombreuses restaient également impayées.

Je lui conseillai de se pénétrer plusieurs fois par jour de la phrase suivante: «Ma maison n'est grevée d'aucune dette et l'argent afflue en abondance.» Elle n'avait pas, lui dis-je, à se demander d'où l'argent viendrait ni de quelle autre manière sa prière serait exaucée. Son subconscient la guiderait sûrement et saurait comment réaliser ses désirs.

Quelques temps plus tard, un entrepreneur en bâtiment entra en relation avec elle. Il s'intéressait à son terrain, car il voulait y construire un building. Ils tombèrent d'accord. Le prix de vente surpassait de loin la valeur réelle du terrain. Elle put payer sans peine toutes ses dettes et mettre de côté une petite réserve. En même temps, elle se mit d'accord avec cet entrepreneur pour occuper un bel appartement dans le building et gérer l'immeuble contre une bonne rémunération.

Ce qui est inculqué au subconscient porte ses fruits tôt ou tard. Ou bien, selon les paroles de la Bible: *Toutes tes entreprises réussiront, et sur ta route brillera la lumière* (Job 22:28).

La vie est une addition

Un commerçant en textiles de mes connaissances a pour devise, dans sa vie privée comme dans les affaires: «Tout ce que j'entreprends est addition. J'ignore la soustraction.»

Il veut dire ainsi qu'il conduit sa vie entière sous le signe «plus», celui-ci signifiant pour lui prospérité et croissance. Avec l'état d'esprit adéquat, on parvient effectivement à s'en tirer sans soustraction. On est armé contre les préjudices, pour la simple raison que chaque perte est compensée par un gain plus important. Le signe «plus» symbolise ici le surcroît de sagesse, de force, de foi, de savoir, de santé et de bonheur.

D'une manière concrète, pour vivre constamment dans la croissance, il suffit de s'en tenir à l'aspect positif de la vie, et à s'orienter par la méditation vers ce qui nous guide intérieurement et nous apporte l'harmonie, l'action juste et le succès. Qui s'imagine et se sent heureux et couronné de succès fait en sorte que sa vie, grâce à la force créatrice de l'inconscient, se déroule sous le signe de la prospérité et d'une heureuse croissance.

C'est alors que tout tourna à son avantage

Un agent d'assurances vint se plaindre auprès de moi en ces termes: «Je me donne une peine inimaginable jusqu'à une heure avancée de la nuit pour obtenir un bon résultat. Mais le succès et le rapport restent extrêmement décevants — pour tout dire: infimes.»

Nous convîmmes de nous rencontrer une fois par semaine. Mon premier objectif fut de lui apprendre à se détendre physiquement et intellectuellement. Dès qu'il était décontracté, je m'adressais à lui en ces termes: «Vous êtes maintenant détendu et équilibré, serein et calme. Vous vous portez bien: intellectuellement, physiquement et financièrement. Vous vous portez bien jour et nuit. Vous personnifiez le succès. Vous êtes ouvert aux idées nouvelles. Ce qu'il y a de meilleur en vous est mobilisé et vous pénètre sans arrêt, sans fin, d'un sentiment de joie et de liberté. C'est la loi de la croissance qui travaille maintenant pour vous. Elle vous apporte le bien.»

Ensuite, il répétait cette formule de méditation, qu'il faut interpréter comme une prière et prononcer à la première personne.

Nos efforts communs donnèrent d'excellents résultats. En quelques semaines, la situation commença à tourner à son avantage. Il parvint à augmenter considérablement le nombre des contrats d'assurance conclus et à améliorer en conséquence ses revenus. Il prit goût à son travail qui lui assura un rapport substantiel. Mais il avait aussi appris — et ce n'était pas moins important pour son avenir — qu'une attitude positive peut changer le cours de la vie.

Il devint millionnaire

Il me semble opportun de vous rappeler encore une fois comment vous pouvez intégrer à votre subconscient une idée ou une scène imaginaire.

Chaque être humain a une conscience strictement personnelle. Sa conscience individuelle choisit et pèse le pour et le contre, elle distingue, analyse, recherche et approfondit. Elle est capable de penser par déduction et par induction, c'est-à-dire de conclure du général au particulier et inversement. Mais chaque être humain a aussi une vie qui se déroule en deçà du seuil de la conscience: c'est l'inconscient. Le subconscient est constamment exposé aux influences lui venant de la conscience, il leur obéit. Ainsi, le subconscient est en quelque sorte le serviteur de la conscience. Toutefois, les faits de conscience ne parviennent pas tous à l'inconscient. Tout ne pénètre pas jusqu'au plus profond de notre âme. Pour que quelque chose s'imprime dans notre subconscient, une certaine intensité est nécessaire. Par conséquent, si l'on veut intégrer quelque chose à l'inconscient, il faut que notre pensée, que nous gouvernons, atteigne le degré d'intensité suffisant pour atteindre l'inconscient. L'intensité nécessaire s'obtient au moyen de la concentration intellectuelle.

Je voudrais citer un exemple qui se passe de commentaire et dont j'ai été le témoin. Tout commença par une lettre d'un lecteur de mon livre *La puissance de votre subconscient*. Il me fit part de sa ferme résolution de faire du snack-bar qu'il possédait dans une lointaine ville de province une grande entreprise hôtelière avec un grand nombre de restaurants non seulement en Amérique, mais encore dans le pays européen dont il était originaire. Il se concentrait maintenant, m'assura-t-il, sur un million de dollars. Il était certain de parvenir un jour à ce million.

Depuis lors, quelques années ont passé. Cet homme m'a lui-même écrit plus tard comment il appliquait les techniques décrites dans le livre précité pour intégrer son objectif à son inconscient. Chaque soir avant de s'endormir, il se détendait physiquement et intellectuellement pour aboutir à un état de paix intérieure. Ensuite, il concentrait toutes ses pensées sur la représentation d'un extrait de compte portant sur un million de dollars. Son attention entière se dirigeait sur cette vision. Il avait le sentiment d'être l'heureux possesseur de cet avoir en banque. Il s'adonnait à cette représentation chaque nuit avant de s'endormir.

D'abord, une femme qu'il épousa plus tard entra dans la vie de cet homme. Elle l'aimait notamment à cause de son enthousiasme et de la ferme conviction qu'il avait d'atteindre son objectif ambitieux. Elle-même, si elle n'était pas richissime, possédait néanmoins une belle fortune. Avec les moyens dont elle disposait, le couple acheta un premier restaurant qui, géré par le mari, devint prospère. Peu de temps après, cet homme géra deux restaurants annexes. À partir de ce moment, il fit de l'argent. Il organisa bientôt toute une chaîne, dont il était le propriétaire. Il eut également la main très heureuse dans le placement d'une partie de ses capitaux. Des actions pétrolières lui rapportèrent des gains fantastiques. Il me remercia d'avoir écrit le livre qu'il appréciait tant par un cadeau très généreux; j'avoue qu'aucun cadeau ne m'a jamais fait plus de plaisir.

Au moment où j'écris ces lignes, la fortune de cet homme dépasse de loin le million de dollars. Ce qu'il avait inculqué à son inconscient se réalisa largement dans sa vie avec en plus, une femme heureuse et tout récemment un bel enfant.

Prière pour demander la prospérité

... C'est alors que tu seras heureux dans tes entreprises et que tu réussiras (Josué 1:8).

«J'imprime maintenant sur mon subconscient la représentation type de la prospérité et du succès. Je me relie à la source infinie dont découle tout ce dont j'ai besoin. J'écoute la voix de Dieu en moi. Sa voix me guide et dirige tout ce que j'entreprends. Je me sens relié à la richesse et à la plénitude de Dieu. Je crois et je sais qu'il y a des possibilités nouvelles et meilleures d'aller de l'avant. Dieu me les révélera.

«Je déploie mes facultés intellectuelles et effectue mon travail en Dieu qui me guide dans toutes mes entreprises. La sagesse divine qui réside en moi me montrera les solutions et les moyens pour parvenir au succès professionnel.

«Les paroles que je prononce maintenant avec foi et conviction me mènent aux sommets du bonheur et du succès. Je suis sur la bonne voie, parce que je suis un enfant de Dieu.»

Ta droite aura tout fait pour moi. Yahwé, éternel est ton amour (Ps. 138:8).

RÉSUMÉ

1. Apprenez à vous servir des forces spirituelles qui résident en vous. Placez-vous dans la perspective du bonheur et de la prospérité. Alors la plénitude de la vie s'ouvrira à vous.

2. Si vous prenez la décision de faire de l'argent pour des tiers, vous parviendrez vous aussi à l'aisance matérielle, et ceci dans des proportions inespérées.

3. Votre subconscient connaît des moyens et des solutions dont vous ne savez rien. Inculquez-lui l'idée de la prospérité. Elle se concrétisera dans votre vie.

4. Une formule littéralement miraculeuse pour parvenir au bonheur et à l'aisance est celle de cette simple prière: «Dieu me donne plus qu'il me faut.»

5. Le coeur reconnaissant est toujours proche de Dieu. Exprimez votre reconnaissance grâce aux paroles de la Bible: *Père, je te rends grâces de m'avoir exaucé. Je savais bien que tu m'exauces toujours* (Jean 11:41-42). Endormez-vous toujours avec cette prière sur les lèvres: «Je te rends grâces.»

6. Ce que vous inculquez à votre subconscient avec intensité, conviction et foi trouvera son expression dans votre vie. Cela vaut aussi pour les souhaits matériels tels que celui-ci: «Ma maison n'est grevée d'aucune dette, et l'argent afflue.»

7. Placez votre vie sous le signe «plus» qui symbolise le surcroît de sagesse et de force, de foi, de savoir, de santé et de bonheur.

8. Si vous vous répétez constamment ceci: «Ce qu'il y a de mieux en moi est mobilisé et me pénètre sans arrêt, sans fin!», la plénitude de Dieu baignera votre esprit ouvert et réceptif.

9. Par la concentration consciente et le recueillement intérieur, vous atteindrez, grâce à votre inconscient qui réagit à sa façon, les objectifs les plus ambitieux — exactement comme cet homme qui voulait devenir millionnaire et l'est effectivement devenu.

10. ...*C'est alors que tu seras heureux dans tes entreprises et que tu réussiras* (Josué 1:8).

CHAPITRE 14

La loi créatrice de la réalisation

Napoléon disait: «L'imagination gouverne le monde.» Henry Ward Beecher disait pour sa part à ce sujet: «L'esprit sans imagination serait comparable à un observatoire sans télescope.» Et de Pascal nous vient cette parole:«L'imagination dispose de tout; elle crée la beauté, la justice et le bonheur, qui sont tout dans ce monde.»

Par imagination, on entend la faculté de se représenter quelque chose, de se faire une image. L'imagination joue un très grand rôle dans la vie intellectuelle de l'homme. Elle est l'élément transformateur et créateur de l'esprit qui, du fait de ses propres tendances créatrices, agit jusque dans le monde extérieur et dans la vie de l'individu.

Avec l'aide de votre imagination, vous illustrez et donnez forme à vos idées, et vous projetez les visions de votre imagination sur la scène de votre vie. Cette imagination si efficace qui est la vôtre, vous pouvez la diriger comme il vous plaît, vous pouvez la gouverner et la contrôler consciemment. Si vous orientez toute votre imagination vers des objectifs constructifs, la vie vous donnera ce que vous attendez d'elle. Si, par contre, vous laissez votre imagination déborder de représentations négatives, il vous faudra vous accommoder dans la vie de choses contraires à vos désirs. Les visions de votre imagination ou, pour employer un autre terme, les idées que vous caressez, et acceptez consciemment comme vraies, s'impriment sur votre subconscient et trouvent leur expression dans votre vie. Par conséquent, si vous contrôlez consciemment votre imagination, vous pouvez non seulement influer sur votre vie intellectuelle et affective, mais aussi modeler votre vie entière.

L'imagination est le puissant instrument de la création, qu'il s'agisse des oeuvres d'art des poètes, peintres, sculpteurs, architectes et musiciens, ou encore des découvertes, idées et projets de savants, techniciens, économistes, inventeurs ou mystiques. Et même si le monde entier disait: «C'est impossible, cela ne va pas», ceci ne changerait rien au fait que l'homme doué d'imagination peut dire à juste titre: «C'est déjà fait!»

Comment il devint président

M. Fred Reinecke, président de la Febco Corporation située à Glendale en Californie, témoigne de la force de l'imagination dans une lettre dont je publie ci-dessous un extrait avec l'aimable autorisation de son auteur.

«J'étais, avec mes frères et soeurs, cofondateur de notre entreprise en 1949. Trois mois après la fondation, notre usine brûla et fut détruite jusqu'aux fondations. L'idée de faire faillite et de nous résigner à notre malheur nous était intolérable. Nous décidâmes de procéder immédiatement à la reconstruction. J'avais en tête une société importante avec un réseau de distribution couvrant tout le pays. Je me représentais un bâtiment administratif gigantesque avec un grand nombre de bureaux et une usine non moins importante équipée des installations les plus perfectionnées. Je savais depuis toujours que, grâce au pouvoir de transformation quasi alchimique de l'esprit, le contenu de mon imagination prendrait corps sous la forme de l'usine. Vous m'avez beaucoup aidé à cet égard. Dès ma première visite, vous m'avez beaucoup encouragé en m'appelant «monsieur le président», et plus tard en me familiarisant avec l'idée de devenir «président d'une entreprise multimillionnaire». En pensée, il est vrai, je n'avais pas encore accepté le président, car il me semblait impossible d'assumer cette fonction du fait que mon propre frère était président. Mais cette pensée commença à s'ancrer en moi, et, au bout de quelques semaines, elle constitua pour moi une certitude. Je me dis: «Je suis par décret divin le président de ma société — soit président, soit autre chose que la sagesse infinie considère comme mieux encore pour moi.» Je m'imaginai un bureau bien aménagé — le «bureau du président» — et mon nom sur la plaque. J'acceptai tout cela comme un fait, le sourire aux lèvres. Tout allait pour le mieux pour moi!

«Puis tout se mit en mouvement. D'abord, mon frère vice-président décida de suivre sa propre voie. Quelques mois plus tard, mon autre frère, le président, annonça qu'il démissionnait pour faire une carrière politique comme membre du Congrès. Ma soeur aussi quitta l'entreprise et obtint une position plus élevée. Tous, dans leurs nouvelles activités, sont aussi heureux que possible. D'ailleurs, je prie pour eux aussi sincèrement et aussi souvent que pour moi.

«Ainsi, j'étais subitement devenu président! Le grand bond qui, il y avait seulement un an et demi, paraissait absolument exclu, était devenu réalité. Les affaires vont pour le mieux. Je crois sans réserve à la vérité de votre formule selon laquelle l'imagination est l'atelier de Dieu.»

Guérie par son imagination

Mme Olive Gaze, de Brentwood en Californie, connaît de manière vraiment étonnante le pouvoir de l'imagination créatrice. Elle est d'ailleurs une descendante directe du prédicateur protestant Henri Ward Becher, devenu célèbre dans le monde entier par la lutte résolue qu'il mena durant le siècle dernier pour l'affranchissement des Noirs, l'émancipation de la femme et contre l'alcoolisme. Mme Gaze témoigne du pouvoir de l'imagination constructive dans la lettre ci-dessous, qu'elle m'a adressée:

«Je servais de chauffeur à mon mari, le Dr Harry Gaze, aujourd'hui décédé. Lorsque la voiture s'engagea dans Sunset Boulevard, elle fit soudain un tête-à-queue par suite d'une effroyable collision. Nous perdîmes connaissance tous les deux. Lorsque je revins à moi, je vis des policiers tout autour de nous, on était en train de transporter Harry dans l'ambulance. Encore sous le coup du choc, j'indiquai au policier qui s'occupait de moi l'adresse et le numéro de téléphone de mon médecin — de même que votre adresse et votre numéro, que je n'avais jamais eus en mémoire auparavant. C'était mon inconscient qui parlait et agissait. Mais le plus étonnant, c'est que j'indiquai aussi au policier le nom, l'adresse exacte et le numéro de téléphone de ma domestique, qui passait le week-end chez sa fille à Woodland Hills; or je ne connaissais pas son adresse, et j'ignorais totalement son m... numéro de téléphone. Ceci prouve l'existence du phénomène de double vue et fournit un exemple convaincant de la manière dont l'inconscient assume la direction.

«Je fus transportée à l'hôpital. J'avais plusieurs fractures du bassin et j'appris que je ne pourrais plus marcher. Mon imagination se mit à travailler. En pensée je me rendis à l'une de vos conférences et vous vis me tendre la main et me féliciter de ma guérison en ces termes: «Comme vous avez belle mine! Le pouvoir miraculeux de Dieu s'est manifesté par vous.»

«J'avais une foi inébranlable dans le pouvoir salutaire de Dieu. Pendant toute la durée de mon séjour à l'hôpital, je me vis en imagination faire ce que je ferais si je guérissais. Je ne cessais de me dire: «Dieu me guérit maintenant. Les os que Dieu m'a donnés sont de nouveau en bon état.»

«Ce que j'imaginais avec intensité et ressentais comme vrai se réalisa. Je sais maintenant que la puissance créatrice de Dieu est inhérente à notre imagination. C'est merveilleux.»

Son imagination retourna la situation

La lettre ci-dessous m'a été écrite par Mme F. Reinecke, de Glendale en Californie. Je la publie avec l'aimable autorisation de cette dame.

«Je me trouvais à la clinique psychiatrique de Camarillo, où j'étais en traitement pour des dépressions très graves. Au cours de la thérapie, j'appris à me faire face, à me connaître et à m'adapter à mon moi ainsi qu'à mes semblables. Je ne cessais de me dire: «L'amour de Dieu emplit mon âme, Dieu me guide.» Je surmontai ainsi mes états de dépression et devins libre.

«Je sentis que Dieu me conduisait à votre cours sur la puissance de l'inconscient, où vous souligniez le pouvoir étonnant et merveilleux de l'imagination.

«Je commençai à m'imaginer sous les traits d'une personne heureuse, gaie et libre. J'avais aussi sous les yeux, en pensée, une belle maison; et durant la journée, je m'asseyais souvent pour me représenter mon mari, un homme connaissant le succès, heureux et béni par Dieu. Je le voyais devant moi et l'entendais me dire combien il était heureux, combien il m'aimait et combien ses affaires prospéraient. Je me représentais ma fille et mon fils, tels qu'ils devaient être: des étudiants enthousiastes, studieux, appliqués et obtenant d'excellents résultats.

«J'étais sans cesse occupée à me représenter une vie heureuse, paisible et gaie; je vivais jour après jour avec ce tableau sous les yeux. Et chaque nuit, je vous imaginais me félicitant de mon bonheur et de ma paix intérieure, de mon calme et de ma liberté. Je pouvais vous voir sourire et entendre le son de votre voix. Je vivais tout cela de manière authentique et réelle. Et ce que j'imaginais à mon sujet, au sujet de mon mari et de mes deux enfants s'est effectivement réalisé.»

Il attribuait son succès à son imagination

Alors que je visitais, en Irlande, les tours rondes — Round Towers — construites il y a un millier d'années pour protéger la population des Vikings, je rencontrai un homme qui me parut pensif. Je lui demandai l'objet de sa méditation, et reçus une réponse dont je voudrais reproduire ici l'essentiel.

Il souligna que nous ne pouvons nous épanouir que par la contemplation intellectuelle des idées grandes et merveilleuses. Dans cet état d'esprit, il méditait sur l'âge des pierres visibles sur les tours rondes, et son imagination l'emmenait dans les carrières dont ces pierres avaient jadis été extraites, et même jusqu'aux couches rocheuses dans lesquelles elles s'étaient formées au cours d'une période beaucoup plus reculée. Son imagination dévoilait les pierres et voyait à travers elles leur histoire; la structure des couches, la formation géologique, la composition des roches, le magma; et finalement s'imposait à lui l'idée de l'unité de ces roches avec toute autre roche et toute vie, inorganique ou organique. Grâce à son imagination, il prit conscience de la possibilité d'évoquer, en contemplant les tours rondes, l'histoire de l'Irlande et de ses habitants.

Cet homme voyait les tours habitées de personnes imaginaires et entendait leurs voix; il voyait tout autour la vie qui s'était jadis déroulée en cet endroit, mais il voyait aussi l'époque où, sur ce sol, la main des hommes n'avait encore rien édifié. À son esprit s'imposait ce qui avait constitué le drame de cette localité depuis ses lointaines origines. Et tout cela découlait de sa contemplation — des pierres! — et de son imagination. «J'ai l'impression, me dit-il, de percevoir des pas qui ont pesé de leur poids sur cette terre il y a des milliers et des milliers d'années.»

Cet homme était écrivain et gagnait beaucoup d'argent car ses livres étaient très populaires. Quant à lui, il attribuait son succès à sa seule imagination.

Le trésor de l'imagination

De l'imagination ne découlent pas seulement les créations artistiques, mais aussi le progrès scientifique dans son ensemble. C'est aux inspirations constructives d'hommes doués d'imagination que nous devons la radio et la télévision, le radar, les fusées interplanétaires et diverses autres conquêtes de notre époque. Sans l'imagination, il n'y aurait pas d'inventions, ni dans le domaine de la matière ni dans celui de l'esprit. L'imagination est le trésor de l'infini. C'est là — dans votre inconscient — que reposent les joyaux de vos inventions et inspirations de toutes sortes. Là repose votre trésor de diamants purs, qu'il s'agisse de la musique, des arts graphiques ou de toute autre création.

Votre imagination peut s'enflammer à la contemplation de ruines très anciennes — temple ou pyramide —, et le passé ressuscite sous vos yeux. Mais vous pouvez aussi, dans un vieux cimetière abandonné, vous souvenir d'une grande ville moderne que vous avez vue un jour; elle ressuscite dans votre imagination. Ce n'est pas par hasard que l'on qualifie l'imagination d'activité libre de la conscience.

Êtes-vous dans la misère et la détresse, votre imagination ne connaît aucun obstacle, ni les grilles des prisons, ni les murs les plus épais des cachots. Dans le domaine de l'imagination, vous recouvrez votre liberté. Mais je n'entends pas par ce terme la prolifération de rêves incontrôlés, le fantastique pur, j'entends par là l'imagination créatrice dont nous pouvons disposer.

Ils puisèrent dans leur imagination

Chico, qui nettoyait les égouts de Paris, vivait dans un monde meilleur — celui de son imagination — et se trouvait, selon son propre témoignage, dans cet état paradisiaque que l'on appelle communément le «septième ciel» — ceci alors que, dans les cloaques de Paris, il ne connaissait ni la lumière du jour, ni le bonheur.

John Bunyan (1628-1688), chaudronnier à l'origine, a écrit en prison son chef-d'oeuvre, le *Voyage du pèlerin,* qui a été traduit dans les langues de tous les pays civilisés et compte encore aujourd'hui parmi les livres les plus lus de la littérature anglaise. Il y a décrit le cheminement du chrétien «de ce monde dans le monde futur», et a créé, grâce à son imagination, des figures allégoriques telles que la Foi, l'Espérance et le Désespoir, qui n'ont rien perdu de leur valeur jusqu'à ce jour. Ces figures fictives sont enracinées pour toujours dans nos sentiments, nos croyances et nos capacités.

John Milton (1608-1674), malgré sa cécité, a écrit l'épopée en douze chants intitulée *Le paradis perdu,* devenue célèbre dans le monde entier. Il voyait par l'oeil intérieur de son imagination. Son oeuvre a apporté sur terre quelque chose du Paradis de Dieu. Son imagination a donné au poète le pouvoir de se mouvoir par-delà le temps, l'espace et la matière, et de faire jaillir de l'invisible les vérités divines.

Ce ne sont là que trois exemples de ce que peut l'imagination, trois exemples parmi bien d'autres.

Son imagination lui valut succès et fortune

Une jeune dame, qui avait fait des études universitaires et avait un profond sentiment religieux, me dit un jour: «Écrire est pour moi un besoin. J'ai entrepris divers essais en prose: des nouvelles, des récits, des romans. Mais on m'a renvoyé tout ce que j'avais écrit. Si cela continue, je finirai par avoir des complexes.»

Je lui conseillai d'écrire un roman d'un haut niveau intellectuel. Elle devait, lui dis-je, créer de toutes pièces intrigue et personnages en faisant appel à son imagination et à ses grands dons artistiques, avec l'ambition déclarée de réaliser une oeuvre originale, captivante et intéressante pour les lecteurs. En outre, avant de s'endormir, elle devait s'imaginer concrètement que je la félicitais de l'acceptation de son manuscrit par l'éditeur et du succès de son oeuvre. Cette scène imaginaire plongerait alors ses racines dans le sol fécond de son inconscient. Et quoi qu'il pût arriver, elle devait s'en tenir à cette vision. Le succès ne tarderait pas à venir.

Elle suivit mes conseils. Les premiers succès ne se firent pas attendre. D'abord, deux hebdomadaires importants acceptèrent ses récits. Presque au même moment, un psychologue réputé lui confia le remaniement et l'édition de l'un de ses ouvrages, ceci contre une rémunération de 2000 dollars. Cet ouvrage est actuellement sous presse. Elle écrit aujourd'hui un nouveau roman, qui lui a été commandé par un éditeur convaincu de son talent.

Son imagination l'aida à faire carrière

Voici ce que me raconta un jour un jeune chimiste de mes connaissances. Dans les laboratoires de son entreprise, on avait travaillé fiévreusement depuis des années pour produire un certain colorant, jusqu'alors fabriqué en Allemagne. Tous les essais avaient échoué. À peine l'avait-on embauché qu'il se vit confier ce travail délicat. Il n'avait pas la moindre idée des difficultés de sa tâche. Or, il parvint sans la moindre peine à déterminer et expliquer la composition chimique de ce colorant.

Ses supérieurs, très satisfaits mais étonnés, lui demandèrent comment il était parvenu à cette découverte.

La réponse ne les étonna pas moins. Il leur dit en effet qu'il avait entrepris de résoudre le problème en s'imaginant connaître déjà la solution. Ses chefs lui demandèrent en hochant la tête ce qu'il entendait par là.

Il leur dit ce qu'il avait à dire. Il avait vu en imagination, et sans équivoque possible, le mot «solution» en lettres rouges. En dessous se trouvait, parce qu'il se le représentait ainsi, un espace libre pour la formule chimique constituant la solution. Il avait la conviction que cette formule lui viendrait de son inconscient par suite de la représentation ainsi concrétisée. Et la solution lui était venue pendant son sommeil. En s'éveillant, il avait pu noter d'un trait la formule chimique complète. Il savait maintenant clairement comment fabriquer ce colorant.

Ce résultat exceptionnel eut pour le jeune chimiste une conséquence agréable: du jour au lendemain ou presque, il entra dans la direction de l'entreprise.

La découverte du Nouveau Monde

Nous connaissons tous l'histoire de Christophe Colomb et de sa découverte de l'Amérique, inauguration d'une ère nouvelle. Mais beaucoup d'entre nous ne se sont sans doute jamais demandé comment il se fait que le navigateur génois entré au service de l'Espagne ait découvert l'Amérique, alors qu'il voulait se rendre aux Indes.

Christophe Colomb se laissa guider par sa puissante imagination et sa confiance inébranlable en Dieu. Ces deux facteurs assurèrent son triomphe. Lorsque les matelots assaillis par le doute lui demandaient: «Que faire, puisque nous avons perdu tout espoir?», il répondait simplement: «Vous direz à l'aube: Poursuis ta route, poursuis ta route, poursuis toujours ta route.»

Cet exemple montre ce qui est l'essentiel et devrait être la clé de toutes nos prières: la confiance en une issue positive, la confiance à chaque pas nous rapprochant du but, la fidélité inébranlable à notre objectif et l'entière conviction d'atteindre cet objectif, parce que nous le voyons. Qui se voit et se sent arrivé au but dispose aussi des moyens nécessaires pour réaliser son projet.

Elle passa son doctorat «magna cum laude»

Une jeune fille venait de réussir au baccalauréat; mais une grande déception l'attendait. Sa mère, le coeur lourd, lui confia qu'elle ne pourrait pas poursuivre ses études à l'université, et qu'elle devrait chercher un emploi afin de contribuer à l'entretien de la famille, composée de quatre personnes.

La mère de cette jeune fille était veuve et subvenait aux besoins de toute la famille. Rien d'étonnant donc si elle ne disposait pas des capitaux indispensables à des études supérieures. Je connaissais cette étudiante, car elle avait assisté régulièrement aux lectures de mon ouvrage *La puissance de votre subconscient*.

Elle mit en pratique ce qui pour elle était resté jusqu'ici pure théorie. Elle s'imprégna plusieurs fois par jour de la représentation suivante: le président du jury lui remettait son diplôme, elle se voyait entourée des étudiants en habit de cérémonie; elle ressentait l'étreinte et le baiser de sa mère qui la félicitait. Cette scène était bien nette dans son imagination et, chaque fois, elle vivait cet heureux moment dans toute son intensité. Et elle se disait: «La sagesse créatrice inhérente à mon subconscient saura comment faire une réalité de la pensée concrétisée dans cette image.»

Quelques mois passèrent — jusqu'à son dix-huitième anniversaire, qui devait devenir pour elle un jour de joie. Elle reçut une missive de New York. L'enveloppe ne contenait cependant pas de lettre, mais un chèque de trois mille dollars! Au dos du chèque figuraient simplement ces mots: «Avec les meilleurs voeux de ta tante.» La jeune fille, débordant de joie, remercia sa tante, et lui dit en même temps que seul son cadeau généreux allait lui permettre de poursuivre ses études à l'université. Sa mère aussi en fut très heureuse. D'une manière ou d'une autre, dit-elle, on parviendrait à s'en tirer. Mais la tante répondit par retour du courrier qu'elle financerait volontiers la totalité des études.

Depuis lors, des années ont passé. La jeune fille a passé son doctorat avec la mention *magna cum laude*. Elle me dit: «J'ai été plus que satisfaite, la mesure était vraiment comble.»

Voilà un exemple du pouvoir miraculeux de nos pensées et sentiments concrétisés dans une scène imaginaire.

Sa mère recouvra la santé

Le garçon, âgé de quatorze ans à peine, dont je voudrais rapporter ici le cas, n'était peut-être pas représentatif de la moyenne — il était profondément religieux et semblait extrêmement mûr. Mais ce qu'il a vécu n'en est pas moins fascinant.

Il me dit qu'il savait toujours se tirer des difficultés. Il s'imaginait en pareil cas que Jésus-Christ lui parlait et lui disait ce qu'il devait faire. Or, la mère de ce garçon était gravement malade. Ce qu'il m'avait dit avait trait pour une large part à sa mère. Je le confirmai dans sa foi. Et ce garçon se représenta vivement et concrètement que Jésus était debout devant lui et lui disait: «Rentre chez toi sans crainte, ta mère est guérie.» Il vivait dans cette idée et cette scène subjective devint pour lui une certitude.

La mère de ce garçon recouvra effectivement la santé. Ce fait est d'autant plus remarquable que les médecins avaient perdu tout espoir.

Le garçon a imaginé sa mère en bonne santé, et cette idée s'est ancrée dans son subconscient. Les lois de la pensée et de la foi restent toujours les mêmes. Le garçon les a mises en oeuvre inconsciemment. Il a cru subjectivement que le Sauveur lui avait vraiment adressé la parole. Il a ainsi accentué le sentiment de ne faire qu'un avec l'objet de son imagination, et il a été donné selon sa foi, profondément ancrée dans son inconscient.

Paracelse, célèbre médecin et naturaliste (1493-1541), disait déjà à juste titre: «Que vos convictions soient vraies ou fausses, elles produiront leur effet.»

L'imagination est l'atelier de Dieu

Faute de vision, le peuple vit sans frein... (Proverbes 29:18).
«Ma prière est vision. Ma vision est près de Dieu et de ses oeuvres. Ma vision s'accroche à l'idée de santé parfaite, d'harmonie parfaite et de paix parfaite. Ma vision repose sur la foi que Dieu me guérira et me conduira sur toutes mes voies. Je crois et je sais que la puissance de Dieu, à laquelle je participe intérieurement, exauce mes prières; j'en ai la conviction profonde. Je sais que mon imagination correspond à l'idée, à l'image, à la vision que j'ai en moi. *Or la foi est la garantie des biens que l'on espère, la preuve des réalités qu'on ne voit pas* (Héb. 11:1).

«Je prends l'habitude de ne vivre que dans l'idée de ce qui est noble, bon et agréable à Dieu. Telle est l'idée que je me fais de moi-même et des autres. Je me représente maintenant faisant ce que je désire faire, possédant ce que je désire posséder, étant ce que je désire être. Je me le représente dans mon imagination, le ressens comme une réalité et sais qu'il en est ainsi. Père, je te rends grâces.»

RÉSUMÉ

1. L'imagination est la faculté de se faire une idée, une image.

2. Avec l'aide de votre imagination, vous donnez forme à vos idées et à vos souhaits tout en les projetant sur la scène de votre vie.

3. Imaginez que vous faites ce que vous aimez faire, et ressentez-le comme une réalité; alors, des miracles se produiront dans votre vie.

4. Imaginez-vous en bonne santé et heureux, vous-même et vos proches; et ne renoncez jamais à cette idée.

5. Grâce à votre imagination, vous pouvez vous reporter dans le passé; ce que le temps a effacé semble reprendre vie sous vos yeux.

6. Aux inspirations constructives d'hommes doués d'imagination nous devons toutes les conquêtes modernes, de la radio à la télévision. Les savants ont également besoin d'imagination.

7. Les oeuvres impérissables de Shakespeare, de Bunyan, de Milton et d'autres grands poètes sont issues de leur imagination créatrice. Sans imagination, il n'y aurait pas de créations.

8. Un écrivain qui travaille avec l'idée que son oeuvre est captivante et agréable au lecteur se trouve sur la bonne voie.

9. Quel que soit votre objectif, imaginez — comme si vous l'aviez déjà atteint — que l'on vous félicite. Vos pensées et sentiments concrétisés dans cette vision s'implanteront dans votre inconscient et trouveront tôt ou tard leur expression dans votre vie.

10. Rappelez-vous l'exemple de ce chimiste qui réussit à résoudre un problème difficile grâce à son imagination. Il arrive que la solution se présente dans le rêve ou comme dans le rêve; c'est l'inconscient qui parle.

11. Imaginez-vous intensément une scène déterminée symbolisant clairement la réalisation de votre objectif. Représentez-vous sans cesse cette scène et vivez cet instant de bonheur dans toute son intensité. Vous pouvez ainsi modeler votre vie.

12. Si l'un de vos proches est malade, entendez-le en imagination dire qu'il a été miraculeusement guéri; voyez-le souriant devant vous et réjouissez-vous de cette nouvelle. Vous confirmez ainsi votre sentiment d'être un avec votre représentation. L'effet ne se fera pas attendre. Vos prières seront exaucées.

CHAPITRE 15

La loi élémentaire de la vie infinie

Dieu est omniprésent, tout-puissant. Dieu, la vie infinie, est présent toujours et partout, à tout moment et en tout lieu. Vivre chaque jour conscient de la présente de Dieu, telle est la clé de l'harmonie, de la paix, de la santé, de la joie et d'une vie bien remplie. La présence de Dieu, vécue jour après jour, intervient puissamment dans votre vie, dans une mesure surpassant toute imagination. Ne négligez pas ce fait, aussi simple qu'il soit.

Vous devez comprendre que la création entière, avec sa diversité inouïe, est l'expression de Dieu et de sa diversité infinie. Vous êtes vous-même l'expression individualisée de Dieu, qui est la vie, et Dieu veut qu'en tant qu'expression de sa création, vous vous efforciez de progresser. Vous êtes donc dans ce monde pour être agréable à Dieu et pour le glorifier éternellement.

N'hésitez pas davantage. Prenez conscience de la plus grande de toutes les vérités, la vérité qui embrasse tout, à savoir que Dieu est la source de toutes les sources, l'essence de toute puissance et le fondement de toutes choses en ce monde; tout ce que vous percevez, ressentez et comprenez est partie de l'expression divine.

Comment vous y prendre

Parmi les personnes que je connais, beaucoup ont pris l'habitude de méditer chaque jour sur Dieu. Cela ne demande que peu de temps, cinq ou dix minutes par jour, et constitue une manière consciente de prier. Vous vous consacrez ainsi à la contemplation intellectuelle du fait que Dieu est l'essence de la paix, de l'harmonie, de la joie et de la sagesse — lui, qui est tout-puissant; lui, qui est la sagesse infinie et l'amour sans limite. Vous réfléchissez à ces vérités, vous contemplez ces qualités et attributs de la magnificence de Dieu qui, de quelque côté qu'on les considère, restent toujours magnifiques et merveilleux. À la lumière de ces contemplations, vous prendrez conscience du fait que toutes les personnes rencontrées par vous sont l'expression de Dieu et que Dieu se manifeste en toutes choses.

Qui ne cesse de considérer ces vérités verra — comme tous mes amis méditant de cette manière — le monde entier sous un jour nouveau. Ces personnes ont toutes constaté une amélioration de leur santé et de leur situation matérielle, elles sont animées d'une vitalité et d'une énergie nouvelles.

Il retrouva son fils au bout de sept ans

M. Michael Sands, avec qui j'ai des relations d'affaires à Los Angeles, m'a rapporté un épisode étonnant de sa vie.

Environ sept ans auparavant, il avait vécu en Amérique du Sud. Il dut quitter presque du jour au lendemain ce pays agité de troubles, et laissa à l'intention de son fils, représentant de commerce alors en voyage, une lettre dans laquelle il lui disait de le suivre. Mais son fils ne reçut jamais cette lettre. Le jeune homme essaya d'entrer en contact avec sa mère, qui vivait séparée du père. Mais elle était partie elle aussi sans laisser d'adresse. M. Sands adressa lettre sur lettre, télégramme sur télégramme à son fils et à toutes ses relations d'affaires. Mais tout fut vain, son fils était disparu. Il fit appel à des détectives et agences de renseignements, mais il ne leur fut pas possible de retrouver la trace de son fils. Il n'y a pas si longtemps, M. Sands apprit même d'une parente éloignée que son fils disparu avait été légalement déclaré mort.

Au cours de ces derniers mois, M. Sands a subi un profond changement intérieur. Il s'est tourné plus que jamais vers Dieu et a commencé à prendre conscience de la présence de Dieu. Le sort mystérieux de son fils l'avait profondément affecté. Il priait désormais chaque jour: «Mon fils est dans la main de Dieu, et Dieu omniprésent me révélera où il se trouve. Je le sais, Dieu nous réunira selon sa volonté, et je lui rends grâces.»

Récemment, M. Sands m'a présenté son fils. Le disparu s'est trouvé un beau jour à la porte de son père, tout simplement!

Bien entendu, ces retrouvailles ne sont pas un pur hasard. Au même moment à peu près où son père se mit à prier, le fils eut l'idée de rechercher le nom de son père systématiquement dans l'annuaire téléphonique de chaque ville où il se rendait comme représentant de commerce. C'est ainsi qu'il découvrit l'adresse de son père à Los Angeles; il lui suffit alors de prendre un taxi pour se rendre chez lui. Chacun peut s'imaginer la joie de cette rencontre.

À ce propos, je voudrais rappeler un passage bien connu de la Bible (Luc 15:24): *Car mon fils que voilà était mort et il est revenu à la vie; il était perdu et il est retrouvé! Et ils se mirent à festoyer.*

Sa maison fut épargnée

Je n'oublierai jamais l'appel téléphonique d'une dame de mes connaissances, qui me suppliait de lui donner un conseil, parce qu'un incendie gigantesque faisait rage dans le voisinage.

Sa vie n'étant pas encore directement menacée, j'invitai cette dame à garder son calme, à rester au téléphone et à prier avec moi. Je priai, et elle répéta mes paroles: «Dieu est omniprésent. Vous prenez maintenant conscience que sa présence s'étend aussi à votre maison. Vous êtes placée dans l'omniprésence de Dieu. Sa présence apporte la paix, l'harmonie, la joie et la confiance. Votre maison est entourée de l'amour et de la bonté inépuisables de Dieu, elle est placée sous sa protection. Vous dites maintenant cette prière dans la conviction que Dieu l'exaucera.»

Sa maison fut épargnée. L'incendie put être maîtrisé et n'atteignit même pas la clôture de sa propriété. Débordante de joie, cette dame me téléphona le matin de bonne heure pour me faire part de la bonne nouvelle qui tenait du miracle. Ce fut aussi l'avis de l'un des policiers qui l'interrogeait pour déterminer la cause du sinistre: «Dieu vous a protégée», lui dit-il. Les voies de Dieu dépassent l'entendement.

Désormais, son auditoire le comprend

Un jeune prêtre me demanda conseil dans une affaire le concernant directement.

Il se sentait déprimé par la froide réserve de ses paroissiens. Il se demandait aussi les causes de la critique parfois très acerbe que suscitaient ses sermons. Il avait l'habitude, m'affirma-t-il, de préparer ses sermons consciencieusement pendant des heures, et s'en tenait rigoureusement aux vérités de la foi. Comme il s'en était fait un devoir tout particulièrement au cours des derniers temps, il ne comprenait que moins encore la froideur de sa paroisse. Effectivement depuis qu'il avait assumé la charge de cette paroisse, il y avait environ un an, personne n'avait recherché de contact personnel ni d'assistance particulière.

Je lui conseillai de faire passer dans la pratique la présence de Dieu, et il me demanda ce qu'il devait entendre par là.

Il devait, lui dis-je, se recueillir avant chaque sermon et, pendant dix minutes environ, se concentrer sur ses auditeurs avec le souhait conscient de rayonner de bonne volonté, d'amour et de paix. Il devait dire une prière, par exemple en ces termes: «Tous ceux qui ce matin viennent écouter mon sermon sont de bonne volonté et bien disposés à mon égard; je les bénis. Dieu me pénètre tout entier. Si maintenant je pense, parle et agis, c'est par lui que je le fais. Par mon intermédiaire, il bénit toute l'assistance. À tous ceux qui entendent les vérités de la foi proclamées par ma bouche, mon sermon apporte salut et bénédiction. J'aime mes auditeurs, car ce sont des fils de Dieu, et sa magnificence s'exprime à travers eux.»

Ses activités ultérieures furent marquées par un profond changement. Les fidèles vinrent en nombre croissant, et beaucoup lui dirent combien ses sermons les éclairaient, les consolaient et les aidaient véritablement.

Ce jeune prêtre a fait lui-même l'expérience de ce que signifie une vie consciente de la présence de Dieu, et de la possibilité de surmonter ses difficultés par le recueillement dans la prière. La présence de Dieu est une réalité valable pour chacun, et elle offre à chacun de nous tous refuge et secours.

L'exemple d'un simple moine

Il vivait au dix-septième siècle et s'appelait frère Lawrence: un homme pieux et dévoué à Dieu. Dans sa simplicité et son humilité, il se trouvait en harmonie avec l'infini: «Faire la volonté de Dieu, disait-il, est le sens de ma vie.»

Le frère Lawrence vivait conscient de la présence de Dieu qu'il travaillât dans la cuisine, lavât des assiettes, brossât le plancher, ou qu'il se trouvât devant l'autel du Seigneur. Pour lui, tout était l'oeuvre de Dieu, pour lui la voie menant vers Dieu passait par le coeur, c'était l'amour. Ses supérieurs admiraient cet homme, qui, sachant seulement lire et écrire, n'en était pas moins un modèle de sagesse dans sa vie et dans ses propos. La voix de Dieu parlait par son intermédiaire.

Le frère Lawrence mettait en pratique la conscience de la présence de Dieu. Il se disait: «Je me suis remis entre tes mains et je ne suis dévoué qu'à toi; par conséquent, tout ira bien.»

Son seul souci, disait-il, était de ne pas perdre le sentiment profond qu'il avait de son union avec Dieu; mais il n'éprouvait aucune crainte à cet égard, car il avait conscience de l'amour et la bonté infinie de Dieu jusqu'au plus profond de lui-même.

Dans sa jeunesse, il avait fait l'expérience douloureuse d'une vie tournée vers la peur. Il avait alors craint d'être damné, et avait passé quatre ans dans ces tourments spirituels. Mais par la suite, il s'était rendu compte que tous ses maux venaient de son manque de confiance en Dieu. Ainsi se libéra-t-il intérieurement et parvint-il à une vie de joie sans mélange.

Le frère Lawrence prit l'habitude, dans ses activités les plus ordinaires — faire la cuisine, laver la vaisselle —, de s'interrompre quelques instants pour penser à Dieu, qu'il considérait comme le centre de son existence, et pour dialoguer intérieurement avec lui. Illuminé intérieurement, il voyait ainsi s'ouvrir à lui pendant ces quelques instants de ravissement le domaine merveilleux de la paix la plus profonde.

Il guérit son fils

Je reçus un jour une lettre d'un homme d'affaires de Chicago. Il avait lu mon livre *Le miracle de votre esprit* et avait été particulièrement impressionné par le premier chapitre («Être en bonne santé et rester en bonne santé»).

Le fils de cet homme, âgé de huit ans, avait été gravement malade pendant près d'un an. Il avait de l'asthme, et sa maladie se manifestait parfois par des convulsions exigeant l'lintervention immédiate d'un médecin.

Impressionné par la lecture du livre précité, le père prit place un soir au chevet de son fils endormi et pria à haute voix: «Jean, tu es fils de Dieu. Dieu est présent en toi. En toi vivent son harmonie, sa santé, sa paix, sa joie, sa vitalité infinie. Dieu t'a insufflé la vie. Tu es issu de l'esprit de Dieu, le Tout Puissant t'a donné la vie. Tu inspires la paix de Dieu, et tu expires l'amour de Dieu. *Père, je te rends grâces de m'avoir exaucé. Je savais bien que tu m'exauces toujours* (Jean 11:41-42).»

Il pria pendant une bonne heure, en se représentant ces grandes vérités et en répétant plusieurs fois les termes de sa prière. Il le fit, conscient que la teneur de sa prière se transmettrait inconsciemment à l'enfant et s'imprimerait dans son subconscient. Ce faisant, il eut nettement le sentiment que sa prière était exaucée. Car une profonde paix et un bonheur parfait le gagnèrent.

Le lendemain matin, le garçon l'accueillit en ces termes: «Père, j'ai fait un rêve. Un ange m'est apparu et m'a dit: «Jean, tu es guéri.»

Effectivement, il était complètement guéri de cette maladie qui d'ailleurs, dans la plupart des cas, relève de causes psychiques. La conviction du père concernant la présence salutaire de Dieu s'était communiquée au fils; le subconscient de celui-ci avait dramatisé cette conviction et l'avait exprimée sous la forme symbolique de l'ange, conforme à l'univers enfantin. Cet ange avait fait prendre conscience de sa guérison à l'enfant.

Il put à nouveau parler et marcher

Mme Elsie L. McCoy, Beverly Hills, Californie, m'a aimablement autorisé à publier son rapport d'une guérison miraculeuse dont elle a été témoin.

«M. A. fut blessé grièvement à la tête, à la nuque et à la poitrine par une table de 150 kilos qui se renversa sur lui. Il resta sans connaissance pendant plusieurs jours.

«Finalement, j'appelai un prêtre à son chevet. Nous récitâmes ensemble la prière suivante: «Dieu est la vie de cet homme. Dans sa vie, c'est Dieu qui vit. La présence de Dieu vit en lui et lui donne paix, santé et force vitale.»

«Nous avions ainsi prié pendant près d'une heure, lorsque le blessé reprit connaissance. Mais il était hors d'état de parler ou de marcher. Il était paralysé. Son cas paraissait désespéré. Néanmoins, je fis tout ce qu'il était possible de faire sur le plan médical. Mais dans mon coeur, je sentais bien que Dieu seul pouvait encore guérir cet homme.

«Le prêtre et moi priâmes à son intention. Notre prière quotidienne était la suivante: «Dieu marche et parle en vous. Par la volonté de Dieu, parlez et marchez, libre et joyeux. Nous vous entendons nous parler, nous vous voyons traverser cette pièce. Dieu vous guérit maintenant.»

«Au bout de trois mois, le miracle eut lieu. Le blessé recouvra l'usage de la parole et put marcher sans béquilles. Il marche aujourd'hui encore. Il nous a assuré lui-même qu'il avait exactement entendu tout ce que nous disions, et qu'il s'était pénétré de nos paroles. Il est hors de doute que nos prières avaient pénétré dans son inconscient, où elles avaient mobilisé les forces sommeillant en lui. Cette guérison obtenue avec l'aide de Dieu se passe de commentaire.»

Plus question de ruine

Pendant que j'écrivais ce livre, je fus un jour interrompu par le téléphone. C'était un vieil ami qui m'appelait. Il paraissait vivement contrarié et donna libre cours à son mécontentement en ces termes: «Ces deux intrigants ont visiblement l'intention de me ruiner, moi et mon affaire.»

Je lui conseillai de prendre conscience de la présence de Dieu en tout homme, et de prier en ces termes:

«Ces deux hommes se rapprochent chaque jour davantage de Dieu et de sa bonté. Ils ont les mêmes espoirs, les mêmes souhaits et les mêmes aspirations que moi. Ils désirent pour eux-mêmes tout comme moi paix, harmonie, amour, joie et plénitude. Ils sont corrects, honnêtes et loyaux. L'équité divine règne sur tout. Je leur souhaite la bénédiction de Dieu. Nos rapports sont placés sous le signe de l'harmonie, de la paix et de la bonne entente désirées par Dieu. Tout comme moi, ces hommes désirent bien faire. Je reconnais le divin en eux. Et je remercie Dieu de cette solution harmonieuse.»

Je lui demandai de répéter cette prière plusieurs fois par jour, et de s'imprégner intellectuellement et affectivement de son contenu, jusqu'à ce que son inconscient l'assimile. D'ailleurs, par le fait même de la prière, il allait acquérir un sentiment de soulagement intérieur, comparable à une purification spirituelle. Il allait se trouver en paix avec lui-même et avec les autres, être détendu et purifié intérieurement.

Mon ami se mit à prier sincèrement et de toute son âme, comme je le lui avais conseillé. Il découvrit ainsi qu'il disposait, dans les profondeurs de son moi, de cette force qui réconcilie et guérit tout, et que cette force ferait disparaître les tensions existant entre lui et les deux hommes d'affaires en question pour les remplacer par le respect mutuel et la bonne entente.

Ceci se confirma effectivement au bout de quelques jours. Mon ami fit l'expérience de ce que peut la conscience de la présence divine: elle libère l'homme.

Les trois étapes de la foi vécue en Dieu

Première étape: Partez du principe que Dieu est la seule puissance, unique et dominant tout — Dieu, qui est la vie. Acceptez l'existence de Dieu comme une réalité.

Deuxième étape: Vous devez comprendre, savoir et vous répéter sans cesse que vous-même et tout ce que vous percevez du monde extérieur représentez la création de Dieu par laquelle il s'exprime. Faites vôtre cette idée, la plus grande de toutes; son pouvoir est indicible.

Troisième étape: Prenez l'habitude de vous détendre deux ou trois fois par jour, le mieux étant pour cela de prendre place dans un fauteuil confortable, et de méditer sur le sens des vérités suivantes: «Dieu est omniprésent. Dieu est tout-puissant. Tout est la création de Dieu.»

Prenez conscience du fait que Dieu réside en vous et dans les personnes de votre entourage. Veillez à ce que vos actes soient guidés par la conscience du fait que vous-même et les personnes de votre entourage pensez et agissez selon la volonté de Dieu. Pensez-y précisément dans vos relations, privées ou professionnelles, avec vos semblables. Dans cet esprit devraient en particulier agir tous ceux qui, à quelque titre que ce soit, ont à faire face à un public dont ils doivent gagner la sympathie et l'estime. Voilà ce qu'est la foi vécue en Dieu.

«Je vis conscient de la paix intérieure, de la joie, de l'harmonie et de ma bonne volonté à l'égard de tous les hommes. Mon pays est un endroit de refuge et de protection. Je suis *à l'abri d'Elyôn et loge à l'ombre de Shaddaï* (Ps. 91:1). Je vais avec Dieu et parle avec lui chaque jour de ma vie.

«*Que Dieu se lève, et ses ennemis se dispersent* (Ps. 68:1). Mes ennemis sont la peur, l'ignorance, la superstition et le manque de foi. À ces ennemis, je ferme mon esprit et mon âme. Je suis étranger à toute pensée négative. J'implante dans mon âme Dieu et son amour. Je pense, je sens et j'agis dans la perspective de l'amour divin. Je m'unis maintenant à la force divine, et je me sens invincible. Je sens en moi le courant de la paix divine.

«Dieu, dans sa sagesse et son amour, me guide et guide mes semblables. Je prie que Dieu m'éclaire et éclaire tous les hommes. Que sa volonté soit faite. Sa volonté est paix et harmonie, joie et succès. C'est merveilleux.»

RÉSUMÉ

1. Vivre quotidiennement conscient de la présence de Dieu, telle est la clé qui donne accès à la paix, à la santé et à la plénitude dans notre vie.

2. Dieu est la cause première de toutes choses; tout ce que vous percevez, sentez et comprenez est sa création et partie de son expression.

3. Dieu, sagesse infinie, est omniscient. Souvenez-vous de cet homme qui priait et dont le fils disparu rentra sept ans plus tard.

4. Priez, si vous êtes dans une situation difficile pour demander la protection de Dieu. Pensez à cette femme dont la maison fut épar-gnée par un incendie gigantesque.

5. Qui se heurte à la résistance, au refus ou à la mauvaise humeur de son entourage devrait se laisser guider par la conscience que tous les hommes pensent et agissent selon la volonté de Dieu. L'amour ne connaît pas l'échec.

6. Qui est appelé à faire face à un public devrait partir du principe que ses paroles contribuent au bien et au salut de son public.

7. Que tout travail soit accompli en l'honneur et à la gloire de Dieu. Pensez à l'exemple du frère Lawrence.

8. Si l'un de vos proches est malade, priez pour lui dans la conscience de la présence salutaire de Dieu, car Dieu est amour et paix. Le contenu de votre prière se transmettra inconsciemment au malade et mobilisera ses forces vitales.

9. Si quelqu'un vous veut du mal, prenez conscience de votre lien avec Dieu; personne ne peut abolir cette protection. Opposez à votre adversaire amour et sincérité et dites-vous que lui aussi est guidé par Dieu. Une solution pacifique ne manquera pas de se présenter.

10. Vous-même et tout ce que vous percevez du monde extérieur représentez la création de Dieu par laquelle Dieu s'exprime. Dieu réside en vous et dans toutes les personnes de votre entourage. Il attend de vous que vous ignoriez les fautes et insuffisances de vos semblables, et que vous les aimiez comme Dieu vous aime.

TABLE DES MATIÈRES

Ouvrages parus chez les éditeurs du groupe Sogides

ANIMAUX

Vous et votre boxer, Herriot, Sylvain
Vous et votre braque allemand,
  Eylat, Martin
Vous et votre caniche, Shira, Sav
Vous et votre chat de gouttière,
  Mamzer, Annie
Vous et votre chat tigré, Eylat, Odette
Vous et votre chihuahua, Eylat, Martin
Vous et votre chow-chow,
  Pierre Boistel
Vous et votre cocker américain,
  Eylat, Martin
Vous et votre collie, Éthier, Léon
Vous et votre dalmatien, Eylat, Martin
Vous et votre danois, Eylat, Martin
Vous et votre doberman, Denis, Paula
Vous et votre fox-terrier, Eylat, Martin
Vous et votre golden retriever,
  Denis, Paula
Vous et votre husky, Eylat, Martin

Vous et votre labrador,
  Van Der Heyden, Pierre
Vous et votre lévrier afghan,
  Eylat, Martin
Vous et votre lhassa apso,
  Van Der Heyden, Pierre
Vous et votre persan, Gadi, Sol
Vous et votre petit rongeur,
  Eylat, Martin
Vous et votre schnauzer, Eylat, Martin
Vous et votre serpent, Deland, Guy
Vous et votre setter anglais,
  Eylat, Martin
Vous et votre shih-tzu, Eylat, Martin
Vous et votre siamois, Eylat, Odette
Vous et votre teckel, Boistel, Pierre
Vous et votre terre-neuve,
  Pacreau, Marie-Edmée
Vous et votre yorkshire,
  Larochelle, Sandra

ARTISANAT/BRICOLAGE

Art du pliage du papier, L',
  Harbin, Robert
* **Artisanat québécois, T.1,** Simard, Cyril
* **Artisanat québécois, T.2,** Simard, Cyril
* **Artisanat québécois, T.3,** Simard, Cyril
* **Artisanat québécois, T.4,** Simard, Cyril
  et Bouchard, Jean-Louis
* **Construire des cabanes d'oiseaux,**
  Dion, André

* **Encyclopédie de la maison québécoise,**
  Lessard, Michel et Villandré, Gilles
* **Encyclopédie des antiquités,**
  Lessard, Michel et Marquis, Huguette
* **J'apprends à dessiner,** Nassh, Joanna
  Taxidermie moderne, La, Labrie, Jean
* **Tissage, Le,** Grisé-Allard, Jeanne et
  Galarneau, Germaine
  Vitrail, Le, Bettinger, Claude

BIOGRAPHIES

* **Brian Orser - Maître du triple axel,**
  Orser, Brian et Milton, Steve
* **Dans la fosse aux lions,** Chrétien, Jean
* **Dans la tempête,** Lachance, Micheline
* **Duplessis, T.1 - L'ascension,**
  Black, Conrad
* **Duplessis, T.2 - Le pouvoir,**
  Black, Conrad
* **Ed Broadbent - La conquête obstinée**
  du pouvoir, Steed, Judy
* **Establishment canadien, L',**
  Newman, Peter C.
* **Larry Robinson,** Robinson, Larry et
  Goyens, Chrystian
* **Michel Robichaud - Monsieur Mode,**
  Charest, Nicole

* **Monopole, Le,** Francis, Diane
* **Nouveaux riches, Les,**
  Newman, Peter C.
* **Paul Desmarais - Un homme et son em-**
  pire, Greber, Dave
* **Plamondon - Un cœur de rocker,**
  Godbout, Jacques
* **Prince de l'Église, Le,** Lachance, Micheline
* **Québec Inc.,** Fraser, M.
* **Rick Hansen - Vivre sans frontières,**
  Hansen, Rick et Taylor, Jim
* **Saga des Molson, La,** Woods, Shirley
* **Sous les arches de McDonald's,**
  Love, John F.
* **Trétiak, entre Moscou et Montréal,**
  Trétiak, Vladislav

BIOGRAPHIES

* **Une femme au sommet - Son excellence Jeanne Sauvé,** Woods, Shirley E.

CARRIÈRE/VIE PROFESSIONNELLE

* **Choix de carrières, T.1,** Milot, Guy
* **Choix de carrières, T.2,** Milot, Guy
* **Choix de carrières, T.3,** Milot, Guy
  Comment rédiger son curriculum vitae, Brazeau, Julie
  Guide du succès, Le, Hopkins, Tom
* **Je cherche un emploi,** Brazeau, Julie
  Parlez pour qu'on vous écoute, Brien, Michèle

  Relations publiques, Les, Doin, Richard et Lamarre, Daniel
  Techniques de vente par téléphone, Porterfield, J.-D.
* **Test d'aptitude pour choisir sa carrière,** Barry, Linda et Gale
  Une carrière sur mesure, Lemyre-Desautels, Denise
  Vente, La, Hopkins, Tom

CUISINE

* **À table avec Sœur Angèle,** Sœur Angèle
* **Art d'apprêter les restes, L',** Lapointe, Suzanne
  Barbecue, Le, Dard, Patrice
* **Biscuits, brioches et beignes,** Saint-Pierre, A.
* **Boîte à lunch, La,** Lambert-Lagacé, Louise
  Brunches et petits déjeuners en fête, Bergeron, Yolande
  100 recettes de pain faciles à réaliser, Saint-Pierre, Angéline
* **Confitures, Les,** Godard, Misette
  Congélation de A à Z, La, Hood, Joan
  Congélation des aliments, La, Lapointe, Suzanne
  Conserves, Les, Sœur Berthe
  Crème glacée et sorbets, Lebuis, Yves et Pauzé, Gilbert
  Crêpes, Les, Letellier, Julien
  Cuisine au wok, Solomon, Charmaine
  Cuisine aux micro-ondes 1 et 2 portions, Marchand, Marie-Paul
* **Cuisine chinoise traditionnelle, La,** Chen, Jean
* **Cuisine créative Campbell, La,** Cie Campbell
  Cuisine facile aux micro-ondes, Saint-Amour, Pauline
* **Cuisine joyeuse de Sœur Angèle, La,** Sœur Angèle
  Cuisine micro-ondes, La, Benoît, Jehane

* **Cuisine santé pour les aînés,** Hunter, Denyse
  Cuisiner avec le four à convection, Benoît, Jehane
* **Cuisiner avec les champignons sauvages du Québec,** Leclerc, Claire L.
  Faire son pain soi-même, Murray Gill, Janice
* **Faire son vin soi-même,** Beaucage, André
  Fine cuisine aux micro-ondes, La, Dard, Patrice
  Fondues et flambées de maman Lapointe, Lapointe, Suzanne
  Fondues, Les, Dard, Patrice
  Je me débrouille en cuisine, Richard, Diane
  Livre du café, Le, Letellier, Julien
  Menus pour recevoir, Letellier, Julien
  Muffins, Les, Clubb, Angela
  Nouvelle cuisine micro-ondes I, La, Marchand, Marie-Paul et Grenier, Nicole
  Nouvelles cuisine micro-ondes II, La, Marchand, Marie-Paul et Grenier, Nicole
  Omelettes, Les, Letellier, Julien
  Pâtes, Les, Letellier, Julien
* **Pâtisserie, La,** Bellot, Maurice-Marie
* **Recettes au blender,** Huot, Juliette
* **Recettes de gibier,** Lapointe, Suzanne
* **Robot culinaire, Le,** Martin, Pol

DIÉTÉTIQUE

Combler ses besoins en calcium,
Hunter, Denyse
* Compte-calories, Le, Brault-Dubuc, M.
et Caron Lahaie, L.
* Cuisine du monde entier avec Weight
Watchers, Weight Watchers
Cuisine sage, Une, Lambert-Lagacé,
Louise
Défi alimentaire de la femme, Le,
Lambert-Lagacé, Louise
* Diète Rotation, La, Katahn, Dr Martin
* Diététique dans la vie quotidienne,
Lambert-Lagacé, Louise
Livre des vitamines, Le, Mervyn, Leonard
Menu de santé, Lambert-Lagacé, Louise
Oubliez vos allergies, et... bon appétit,
Association de l'information sur les
allergies

* Petite et grande cuisine végétarienne,
Bédard, Manon
* Plan d'attaque Weight Watchers, Le,
Nidetch, Jean
* Plan d'attaque Plus Weight Watchers,
Le, Nidetch, Jean
* Régimes pour maigrir,
Beaudoin, Marie-Josée
Sage bouffe de 2 à 6 ans, La,
Lambert-Lagacé, Louise
* Weight Watchers - Cuisine rapide et
savoureuse, Weight Watchers
* Weight Watchers - Agenda 85 -
Français, Weight Watchers
* Weight Watchers - Agenda 85 -
Anglais, Weight Watchers
* Weight Watchers - Programme -
Succès Rapide, Weight Watchers

ENFANCE

* Aider son enfant en maternelle,
Pedneault-Pontbriand, Louise
Années clés de mon enfant, Les,
Caplan, Frank et Thérèsa
Art de l'allaitement maternel, L',
Ligue internationale La Leche
Avoir un enfant après 35 ans,
Robert, Isabelle
Bientôt maman, Whalley, J., Simkin, P.
et Keppler, A.
Comment nourrir son enfant,
Lambert-Lagacé, Louise
Deuxième année de mon enfant, La,
Caplan, Frank et Thérèsa
Développement psychomoteur du
bébé, Calvet, Didier
Douze premiers mois de mon enfant,
Les, Caplan, Frank
* En attendant notre enfant,
Pratte-Marchessault, Yvette
* Enfant unique, L', Peck, Ellen
Évoluer avec ses enfants,
Gagné, Pierre-Paul
Exercices aquatiques pour les futures
mamans, Dussault, J. et Demers, C.
* Femme enceinte, La,
Bradley, Robert A.

* Futur père, Pratte-Marchessault, Yvette
Jouons avec les lettres,
Doyon-Richard, Louise
Langage de votre enfant, Le,
Langevin, Claude
Mal des mots, Le, Thériault, Denise
Manuel Johnson et Johnson des
premiers soins, Le, Rosenberg,
Dr Stephen N.
Massage des bébés, Le,
Auckette, Amédia D.
Mon enfant naîtra-t-il en bonne santé?
Scher, Jonathan et Dix, Carol
* Pour bébé, le sein ou le biberon?
Pratte-Marchessault, Yvette
* Pour vous future maman, Sekely, Trude
Préparez votre enfant à l'école,
Doyon-Richard, Louise
Psychologie de l'enfant de 0 à 10 ans,
Cholette-Pérusse, Françoise
Respirations et positions
d'accouchement, Dussault, Joanne
Soins de la première année de bébé,
Les, Kelly, Paula
Tout se joue avant la maternelle,
Ibuka, Masaru

ÉSOTÉRISME

Avenir dans les feuilles de thé, L,
Fenton, Sasha
Graphologie, La, Santoy, Claude
Interprétez vos rêves, Stanké, Louis
Lignes de la main, Stanké, Louis

Lire dans les lignes de la main,
Morin, Michel
Vos rêves sont des miroirs, Cayla, Henri
Votre avenir par les cartes,
Stanké, Louis

HISTOIRE

* **Arrivants, Les,** Collectif
* **Civilisation chinoise, La,** Guay, Michel
* **Or des cavaliers thraces, L',**
Palais de la civilisation

* **Samuel de Champlain,**
Armstrong, Joe C.W.

JARDINAGE

* **Chasse-insectes pour jardins, Le,**
Michaud, O.
* **Comment cultiver un jardin potager,**
Trait, J.-C.
* **Encyclopédie du jardinier,**
Perron, W. H.
* **Guide complet du jardinage,**
Wilson, Charles
J'aime les azalées, Deschênes, Josée
J'aime les cactées, Lamarche, Claude
J'aime les rosiers, Pronovost, René
J'aime les tomates, Berti, Victor

J'aime les violettes africaines,
Davidson, Robert
Jardin d'herbes, Le, Prenis, John
* **Je me débrouille en aménagement
extérieur,** Bouillon, Daniel et
Boisvert, Claude
* **Petite ferme, T.2- Jardin potager,**
Trait, Jean-Claude
* **Plantes d'intérieur, Les,** Pouliot, Paul
* **Techniques de jardinage, Les,**
Pouliot, Paul
Terrariums, Les, Kayatta, Ken

JEUX/DIVERTISSEMENTS

* **Améliorons notre bridge,**
Durand, Charles
* **Bridge, Le,** Beaulieu, Viviane
* **Clés du scrabble, Les,** Sigal, Pierre A.
**Dictionnaire des mots croisés, noms
communs,** Lasnier, Paul
**Dictionnaire des mots croisés, noms
propres,** Piquette, Robert
Dictionnaire raisonné des mots croisés,
Charron, Jacqueline

* **Jouons ensemble,** Provost, Pierre
Livre des patiences, Le, Bezanovska, M.
et Kitchevats, P.
Monopoly, Orbanes, Philip
* **Ouverture aux échecs,** Coudari, Camille
* **Scrabble, Le,** Gallez, Daniel
Techniques du billard, Morin, Pierre

LINGUISTIQUE

Anglais par la méthode choc, L',
Morgan, Jean-Louis
J'apprends l'anglais, Sillicani, Gino et
Grisé-Allard, Jeanne

* **Secrétaire bilingue, La,** Lebel, Wilfrid

LIVRES PRATIQUES

* **Acheter ou vendre sa maison,**
  Brisebois, Lucille
* **Assemblées délibérantes, Les,**
  Girard, Francine
  Chasse-insectes dans la maison, Le,
  Michaud, O.
  Chasse-taches, Le, Cassimatis, Jack
* **Comment réduire votre impôt,**
  Leduc-Dallaire, Johanne
* **Guide de la haute-fidélité, Le,**
  Prin, Michel
  **Je me débrouille en aménagement
  intérieur,** Bouillon, Daniel et
  Boisvert, Claude
  Livre de l'étiquette, Le, du Coffre,
  Marguerite
* **Loi et vos droits, La,**
  Marchand, Me Paul-Émile
* **Maîtriser son doigté sur un clavier,**
  Lemire, Jean-Paul
* **Mécanique de mon auto, La,** Time-Life
* **Mon automobile,** Collège Marie-Victorin
  et Gouv. du Québec

**Notre mariage (étiquette et
planification),**
du Coffre, Marguerite
* **Petits appareils électriques,**
  Collaboration
  Petit guide des grands vins, Le,
  Orhon, Jacques
* **Piscines, barbecues et patio,**
  Collaboration
* **Roulez sans vous faire rouler, T.3,**
  Edmonston, Philippe
  Séjour dans les auberges du Québec,
  Cazelais, Normand et
  Coulon, Jacques
  Se protéger contre le vol,
  Kabundi, Marcel et
  Normandeau, André
* **Tout ce que vous devez savoir sur le
  condominium,** Dubois, Robert
  Univers de l'astronomie, L',
  Tocquet, Robert
  Week-end à New York, Tavernier-
  Cartier, Lise

MUSIQUE

Chant sans professeur, Le,
Hewitt, Graham
Guitare, La, Collins, Peter
Guitare sans professeur, La,
Evans, Roger

Piano sans professeur, Le, Evans, Roger
Solfège sans professeur, Le,
Evans, Roger

NOTRE TRADITION

* **Encyclopédie du Québec, T.2,**
  Landry, Louis
  Généalogie, La, Faribeault-Beauregard,
  M. et Beauregard Malak, E.
* **Maison traditionnelle au Québec, La,**
  Lessard, Michel

* **Moulins à eau de la vallée du Saint-
  Laurent, Les,** Villeneuve, Adam
* **Sculpture ancienne au Québec, La,**
  Porter, John R. et Bélisle, Jean
* **Temps des fêtes au Québec, Le,**
  Montpetit, Raymond

PHOTOGRAPHIE

**Apprenez la photographie avec
Antoine Désilets,** Désilets, Antoine
8/Super 8/16, Lafrance, André
Fabuleuse lumière canadienne,
Hines, Sherman
* **Initiation à la photographie,**
  London, Barbara

* **Initiation à la photographie-Canon,**
  London, Barbara
* **Initiation à la photographie-Minolta,**
  London, Barbara
* **Initiation à la photographie-Nikon,**
  London, Barbara

PHOTOGRAPHIE

* **Initiation à la photographie-Olympus,**
  London, Barbara
* **Initiation à la photographie-Pentax,**
  London, Barbara

Photo à la portée de tous, La,
Désilets, Antoine

PSYCHOLOGIE

Aider mon patron à m'aider,
Houde, Eugène
* **Amour de l'exigence à la préférence,**
  L', Auger, Lucien
Apprivoiser l'ennemi intérieur,
Bach, Dr G. et Torbet, L.
Art d'aider, L', Carkhuff, Robert R.
Auto-développement, L', Garneau, Jean
* **Bonheur au travail, Le,** Houde, Eugène
Bonheur possible, Le, Blondin, Robert
Ces hommes qui méprisent les femmes... et les femmes qui les aiment, Forward, Dr S. et Torres, J.
Changer ensemble, les étapes du couple, Campbell, Suzan M.
Chimie de l'amour, La, Liebowitz, Michael
Comment animer un groupe, Office Catéchèse
Comment déborder d'énergie, Simard, Jean-Paul
Communication dans le couple, La, Granger, Luc
Communication et épanouissement personnel, Auger, Lucien
Contact, Zunin, L. et N.
Découvrir un sens à sa vie avec la logothérapie, Frankl, D^r V.
* **Dynamique des groupes,** Aubry, J.-M. et Saint-Arnaud, Y.
Élever des enfants sans perdre la boule, Auger, Lucien
Enfants de l'autre, Les, Paris, Erna
Être soi-même, Corkille Briggs, D.
Facteur chance, Le, Gunther, Max
Infidélité, L', Leigh, Wendy
Intuition, L', Goldberg, Philip
* **J'aime,** Saint-Arnaud, Yves
Journal intime intensif, Le, Progoff, Ira
Mensonge amoureux, Le, Blondin, Robert
Parce que je crois aux enfants, Ruffo, Andrée

Parle-moi... j'ai des choses à te dire,
Salomé, Jacques
Perdant / Gagnant - Réussissez vos échecs, Hyatt, Carole et Gottlieb, Linda
* **Personne humaine, La ,** Saint-Arnaud, Yves
* **Plaisirs du stress, Les,** Hanson, Dr Peter, G.
Pourquoi l'autre et pas moi? - Le droit à la jalousie, Auger, Dr Louise
Prévenir et surmonter la déprime, Auger, Lucien
* **Prévoir les belles années de la retraite,** D. Gordon, Michael
* **Psychologie de l'amour romantique,** Branden, D^r N.
Puissance de l'intention, La, Leider, R.-J.
S'affirmer et communiquer, Beaudry, Madeleine et Boisvert, J.R.
S'aider soi-même, Auger, Lucien
S'aider soi-même d'avantage, Auger, Lucien
* **S'aimer pour la vie,** Wanderer, Dr Zev
Savoir organiser, savoir décider, Lefebvre, Gérald
Savoir relaxer pour combattre le stress, Jacobson, Dr Edmund
Se changer, Mahoney, Michael
Se comprendre soi-même par les tests, Collectif
Se connaître soi-même, Artaud, Gérard
Se créer par la Gestalt, Zinker, Joseph
* **Se guérir de la sottise,** Auger, Lucien
Si seulement je pouvais changer! Lynes, P.
Tendresse, La, Wolfl, N.
Vaincre ses peurs, Auger, Lucien
Vivre avec sa tête ou avec son cœur, Auger, Lucien

ROMANS/ESSAIS/DOCUMENTS

* **Baie d'Hudson, La,** Newman, Peter, C.
* **Conquérants des grands espaces, Les,**
  Newman, Peter, C.
* **Des Canadiens dans l'espace,**
  Dotto, Lydia
* **Dieu ne joue pas aux dés,** Laborit, Henri
* **Frères divorcés, Les,** Godin, Pierre
* **Insolences du Frère Untel, Les,**
  Desbiens, Jean-Paul
* **J'parle tout seul,** Coderre, Émile

* **Option Québec,** Lévesque, René
* **Oui,** Lévesque, René
* **Provigo,** Provost, René et
  Chartrand, Maurice
* **Sur les ailes du temps (Air Canada),**
  Smith, Philip
* **Telle est ma position,** Mulroney, Brian
* **Trois semaines dans le hall du Sénat,**
  Hébert, Jacques
* **Un second souffle,** Hébert, Diane

SANTÉ/BEAUTÉ

* **Ablation de la vésicule biliaire, L',**
  Paquet, Jean-Claude
* **Ablation des calculs urinaires, L',**
  Paquet, Jean-Claude
* **Ablation du sein, L',** Paquet, Jean-claude
* **Allergies, Les,** Delorme, Dr Pierre
* **Bien vivre sa ménopause,**
  Gendron, Dr Lionel
* **Charme et sex-appeal au masculin,**
  Lemelin, Mireille
* **Chasse-rides,** Leprince, C.
* **Chirurgie vasculaire, La,**
  Paquet, Jean-Claude
* **Comment devenir et rester mince,**
  Mirkin, Dr Gabe
* **De belles jambes à tout âge,**
  Lanctôt, D^r G.
* **Dialyse et la greffe du rein, La,**
  Paquet, Jean-Claude
* **Être belle pour la vie,** Bronwen, Meredith
* **Glaucomes et les cataractes, Les,**
  Paquet, Jean-Claude
* **Grandir en 100 exercices,**
  Berthelet, Pierre
* **Hernies discales, Les,**
  Paquet, Jean-Claude
* **Hystérectomie, L',** Alix, Suzanne
* **Maigrir: La fin de l'obsession,**
  Orbach, Susie
* **Malformations cardiaques
  congénitales, Les,**
  Paquet, Jean-Claude
* **Maux de tête et migraines,**
  Meloche, Dr J. , Dorion, J.
* **Perdre son ventre en 30 jours H-F,** Bur-
  stein, Nancy et Roy, Matthews

* **Pontage coronarien, Le,**
  Paquet, Jean-Claude
* **Prothèses d'articulation,**
  Paquet, Jean-Claude
* **Redressements de la colonne,**
  Paquet, Jean-Claude
* **Remplacements valvulaires, Les,**
  Paquet, Jean-Claude
* **Ronfleurs, réveillez-vous,** Piché, D^r J.
  et Delage, J.
* **Syndrome prémenstruel, Le,**
  Shreeve, Dr Caroline
* **Travailler devant un écran,**
  Feeley, Dr Helen
* **30 jours pour avoir de beaux cheveux,**
  Davis, Julie
* **30 jours pour avoir de beaux ongles,**
  Bozic, Patricia
* **30 jours pour avoir de beaux seins,**
  Larkin, Régina
* **30 jours pour avoir de belles fesses,**
  Cox, D. et Davis, Julie
* **30 jours pour avoir un beau teint,**
  Zizmon, Dr Jonathan
* **30 jours pour cesser de fumer,**
  Holland, Gary et Weiss, Herman
* **30 jours pour mieux s'organiser,**
  Holland, Gary
* **30 jours pour redevenir un couple
  amoureux,** Nida, Patricia et
  Cooney, Kevin
* **30 jours pour un plus grand épanouisse-
  ment sexuel,** Schneider, A.
* **Vos dents,** Kandelman, Dr Daniel
* **Vos yeux,** Chartrand, Marie et
  Lepage-Durand, Micheline

SEXUALITÉ

Contacts sexuels sans risques, I.A.S.H.S.

* Guide illustré du plaisir sexuel, Corey, Dr Robert et Helg, E.

Ma sexualité de 0 à 6 ans, Robert, Jocelyne

Ma sexualité de 6 à 9 ans, Robert, Jocelyne

Ma sexualité de 9 à 12 ans, Robert, Jocelyne

Mille et une bonnes raisons pour le convaincre d'enfiler un condom et pourquoi c'est important pour vous..., Bretman, Patti, Knutson, Kim et Reed, Paul

* Nous on en parle, Lamarche, M. et Danheux, P.

Pour jeunes seulement, photoroman d'éducation à la sexualité, Robert, Jocelyne

Sexe au féminin, Le, Kerr, Carmen

Sexualité du jeune adolescent, La, Gendron, Lionel

Shiatsu et sensualité, Rioux, Yuki

* 100 trucs de billard, Morin, Pierre

SPORTS

Apprenez à patiner, Marcotte, Gaston

Arc et la chasse, L', Guardo, Greg

Armes de chasse, Les, Petit-Martinon, Charles

Badminton, Le, Corbeil, Jean

* Canadiens de 1910 à nos jours, Les, Turowetz, Allan et Goyens, C.

Carte et boussole, Kjellstrom, Bjorn

Comment se sortir du trou au golf, Brien, Luc

Comment vivre dans la nature, Rivière, Bill

Corrigez vos défauts au golf, Bergeron, Yves

* Curling, Le, Lukowich, E.

De la hanche aux doigts de pieds, Schneider, Myles J. et Sussman, Mark D.

Devenir gardien de but au hockey, Allaire, François

Golf au féminin, Le, Bergeron, Yves

Grand livre des sports, Le, Groupe Diagram

Guide complet de la pêche à la mouche, Le, Blais, J.-Y.

Guide complet du judo, Le, Arpin, Louis

Guide complet du self-defense, Le, Arpin, Louis

Guide de l'alpinisme, Le, Cappon, Massimo

Guide de la survie de l'armée américaine, Le, Collectif

Guide des jeux scouts, Association des scouts

Guide du trappeur, Le, Provencher, Paul

Initiation à la planche à voile, Wulff, D. et Morch, K.

J'apprends à nager, Lacoursière, Réjean

Je me débrouille à la chasse, Richard, Gilles et Vincent, Serge

Je me débrouille à la pêche, Vincent, Serge

Je me débrouille à vélo, Labrecque, Michel et Boivin, Robert

Je me débrouille dans une embarcation, Choquette, Robert

Jogging, Le, Chevalier, Richard

* Jouez gagnant au golf, Brien, Luc

* Larry Robinson, le jeu défensif, Robinson, Larry

Manuel de pilotage, Transport Canada

Marathon pour tous, Le, Anctil, Pierre

Maxi-performance, Garfield, Charles A. et Bennett, Hal Zina

Mon coup de patin, Wild, John

Musculation pour tous, La, Laferrière, Serge

* Partons en camping, Satterfield, Archie et Bauer, Eddie

Partons sac au dos, Satterfield, Archie et Bauer, Eddie

Passes au hockey, Chapleau, Claude

Pêche à la mouche, La, Marleau, Serge

Pêche à la mouche, Vincent, Serge

Planche à voile, La, Maillefer, Gérard

Programme XBX, Aviation Royale du Canada

Racquetball, Corbeil, Jean

Racquetball plus, Corbeil, Jean

Rivières et lacs canotables, Fédération québécoise du canot-camping

S'améliorer au tennis, Chevalier Richard

Saumon, Le, Dubé, J.-P.

SPORTS

 le jour,
éditeur

ÉSOTÉRISME

Astrologie pratique, L',
  Reinicke, Wolfgang
Grand livre de la cartomancie, Le,
  Von Lentner, G.
Grand livre des horoscopes chinois, Le,
  Lau, Theodora

* **Horoscope chinois,** Del Sol, Paula
Lu dans les cartes, Jones, Marthy
Synastrie, La, Thornton, Penny
Traité d'astrologie, Hirsig, H.

GUIDES PRATIQUES/JEUX/LOISIRS

* **1,500 prénoms et significations,**
  Grisé-Allard, J.

* **Backgammon,** Lesage, D.

NOTRE TRADITION

* **Lettre à un Français qui veut émigrer
  au Québec,** Dubuc, Carl

PSYCHOLOGIE/VIE AFFECTIVE ET PROFESSIONNELLE

Adieu, Halpern, Dr Howard
Adieu Tarzan, Franks, Helen
Aimer son prochain comme soi-même,
  Murphy, Dr Joseph
* **Anti-stress, L',** Eylat, Odette
Apprendre à vivre et à aimer,
  Buscaglia, L.
**Art d'engager la conversation et de se
  faire des amis, L',** Gabor, Don
Art de convaincre, L', Heinz, Ryborz
* **Art d'être égoïste, L',** Kirschner, Joseph
Autre femme, L', Sévigny, Hélène
Bains flottants, Les, Hutchison, Michael
**Ces hommes qui ne communiquent
  pas,** Naifeh S. et White, S.G.
Ces vérités vont changer votre vie,
  Murphy, Dr Joseph
Comment aimer vivre seul,
  Shanon, Lynn
**Comment dominer et influencer les
  autres,** Gabriel, H.W.
**Comment faire l'amour à la même per-
  sonne pour le reste de votre vie!,**
  O'Connor, D.
Comment faire l'amour à une femme,
  Morgenstern, M.
Comment faire l'amour à un homme,
  Penney, A.
Comment faire l'amour ensemble,
  Penney, A.

Contacts en or avec votre clientèle,
  Sapin Gold, Carol
Contrôle de soi par la relaxation, Le,
  Marcotte, Claude
Dire oui à l'amour, Buscaglia, Léo
* **Famille moderne et son avenir, La,**
  Richards, Lyn
Femme de demain, Keeton, K.
Gestalt, La, Polster, Erving
Homme au dessert, Un,
  Friedman, Sonya
Homme nouveau, L',
  Bodymind, Dychtwald Ken
Influence de la couleur, L',
  Wood, Betty
Jeux de nuit, Bruchez, C.
Maigrir sans obsession, Orbach, Susie
Maîtriser son destin, Kirschner, Joseph
Massage en profondeur, Le, Painter, J.,
  Bélair, M.
Mémoire, La, Loftus, Élizabeth
* **Mémoire à tout âge, La,**
  Dereskey, Ladislaus
Miracle de votre esprit, Le,
  Murphy, Dr Joseph
Négocier entre vaincre et convaincre,
  Warschaw, Dr Tessa
On n'a rien pour rien, Vincent, Raymond
Oracle de votre subconscient, L',
  Murphy, Dr Joseph

PSYCHOLOGIE/VIE AFFECTIVE ET PROFESSIONNELLE

Passion du succès, La, Vincent, R.
Pensée constructive et bon sens, La,
   Vincent, Raymond
* **Personnalité, La,** Buscaglia, Léo
Petit répertoire des excuses, Le,
   Charbonneau, C., Caron, N.
Pourquoi remettre à plus tard?,
   Burka, Jane B., Yuen, L.M.
Pouvoir de votre cerveau, Le,
   Brown, Barbara
Puissance de votre subconscient, La,
   Murphy, Dr Joseph
Réfléchissez et devenez riche,
   Hill, Napoleon
S'aimer ou le défi des relations
   humaines, Buscaglia, Léo

Sexualité expliquée aux adolescents,
   La, Boudreau, Y.
Succès par la pensée constructive, Le,
   Hill, Napoleon et Stone, W.-C.
Transformez vos faiblesses en force,
   Bloomfield, Dr Harold
Triomphez de vous-même et des
   autres, Murphy, Dr Joseph
Univers de mon subconscient, L',
   Vincent, Raymond
Vaincre la dépression par la volonté et
   l'action, Marcotte, Claude
Vieillir en beauté, Oberleder, Muriel
Vivre avec les imperfections de
   l'autre, Janda, Dr Louis H.
Vivre c'est vendre, Chaput, Jean-Marc

ROMANS/ESSAIS

* **Affrontement, L',** Lamoureux, Henri
* **C't'a ton tour Laura Cadieux,**
   Tremblay, Michel
* **Cœur de la baleine bleue, Le,**
   Poulin, Jacques
* **Coffret petit jour,** Martucci, Abbé Jean
* **Contes pour buveurs attardés,**
   Tremblay, Michel
* **De Z à A,** Losique, Serge
* **Femmes et politique,** Cohen, Yolande

* **Il est par là le soleil,** Carrier, Roch
* **Jean-Paul ou les hasards de la vie,**
   Bellier, Marcel
* **Neige et le feu, La,** Baillargeon, Pierre
* **Objectif camouflé,** Porter, Anna
* **Oslovik fait la bombe,** Oslovik
* **Train de Maxwell, Le,** Hyde, Christopher
* **Vatican -Le trésor de St-Pierre,**
   Malachi, Martin

SANTÉ

Tao de longue vie, Le,
   Soo, Chee

Vaincre l'insomnie, Filion, Michel et
   Boisvert, Jean-Marie

SPORT

* **Guide des rivières du Québec,**
   Fédération cano-kayac

* **Ski nordique de randonnée,**
   Brady, Michael

TÉMOIGNAGES

Merci pour mon cancer,
   De Villemarie, Michelle

Quinze

DIVERS

* **Mythe de Nelligan, Le,** Larose, Jean
* **Nouveau Canada à notre mesure,**
  Matte, René
* **Papineau,** De Lamirande, Claire
* **Personne ne voudrait savoir,**
  Schirm, François
* **Philosophe chat, Le,** Savoie, Roger
* **Pour une économie du bon sens,**
  Bailey, Arthur
* **Québec sans le Canada, Le,**
  Harbron, John D.

* **Qui a tué Blanche Garneau?,**
  Bertrand, Réal
* **Réformiste, Le,** Godbout, Jacques
* **Relations du travail,** Centre des
  dirigeants d'entreprise
* **Sauver le monde,** Sanger, Clyde
* **Silences à voix haute,**
  Harel, Jean-Pierre

LIVRES DE POCHES 10 /10

* **37 1/2 AA,** Leblanc, Louise
* **Aaron,** Thériault, Yves
* **Agaguk,** Thériault, Yves
* **Blocs erratiques,** Aquin, Hubert
* **Bousille et les justes,** Gélinas, Gratien
* **Chère voisine,** Brouillet, Chrystine
* **Cul-de-sac,** Thériault, Yves
* **Demi-civilisés, Les,** Harvey, Jean-Charles
* **Dernier havre, Le,** Thériault, Yves
* **Double suspect, Le,** Monette, Madeleine

* **Faire sa mort comme faire l'amour,**
  Turgeon, Pierre
* **Fille laide, La,** Thériault, Yves
* **Fuites et poursuites,** Collectif
* **Première personne, La,** Turgeon, Pierre
* **Scouine, La,** Laberge, Albert
* **Simple soldat, Un,** Dubé, Marcel
* **Souffle de l'Harmattan, Le,**
  Trudel, Sylvain
* **Tayaout,** Thériault, Yves

LIVRES JEUNESSE

* **Marcus, fils de la louve,** Guay, Michel et
  Bernier, Jean

MÉMOIRES D'HOMME

* **À diable-vent,** Gauthier Chassé, Hélène
* **Barbes-bleues, Les,** Bergeron, Bertrand
* **C'était la plus jolie des filles,**
  Deschênes, Donald
* **Bête à sept têtes et autres contes de
  la Mauricie, La,** Legaré, Clément
* **Contes de bûcherons,**
  Dupont, Jean-Claude
* **Corbeau du Mont-de-la-Jeunesse, Le,**
  Desjardins, Philémon et
  Lamontagne, Gilles

* **Guide raisonné des jurons,**
  Pichette, Jean
* **Menteries drôles et merveilleuses,**
  Laforte, Conrad
* **Oiseau de la vérité, L',** Aucoin, Gérard
* **Pierre La Fève et autres contes de la
  Mauricie,** Legaré, Clément

ROMANS/THÉÂTRE

Achevé   Imprimerie
d'imprimer Gagné Ltée
au Canada Louiseville